冷凍保存の教科書
ビギナーズ

これなら
できそう！

料理研究家&フードコーディネーター
吉田瑞子

新星出版社

Contents

プロローグ　冷凍保存のココがすごい！ …… 8

Part 1 冷凍のキホン

初心者ヘタ子さんvs達人ウマ子さん …… 16
1 冷凍のキホン …… 18
2 解凍のキホン …… 20
3 冷凍&解凍のギモン …… 22
4 冷凍保存キホンの道具 …… 24

Part 2 食材別 完全冷凍ガイド

ごはん・パン・麺類
ごはん …… 26
もち …… 26
食パン …… 27
ロールパン・マフィン・クロワッサン …… 27
総菜パン …… 28
ホットケーキ …… 28
生麺・ゆで麺 …… 28

肉類
豚薄切り肉 …… 30
豚こま切れ肉 …… 31
豚厚切り肉 …… 32
豚ブロック肉 …… 33
牛薄切り肉 …… 34
牛厚切り肉 …… 35
牛・豚ひき肉 …… 36
鶏肉（ムネ・モモ・ササミ） …… 38
鶏手羽先・手羽元 …… 40
鶏ひき肉 …… 41
レバー …… 42
肉類加工品 …… 42

パスタ …… 29
ギョーザの皮 …… 29
小麦粉・パン粉 …… 29

魚介類
あじ …… 43
さんま …… 44
いわし …… 44
さば …… 45

- 切り身 …… 46
- 塩鮭 …… 47
- えび …… 48
- いか …… 49
- たこ …… 50
- あさり・しじみ・はまぐり …… 50
- ほたて（貝柱） …… 51
- 明太子・たらこ …… 51
- いくら …… 51
- ちりめんじゃこ …… 52
- かまぼこ …… 52
- ちくわ・さつま揚げ …… 52

野菜

- キャベツ …… 53
- レタス …… 54
- 白菜 …… 54
- 青菜 …… 55
- 長ねぎ・万能ねぎ …… 55
- ニラ …… 55
- ブロッコリー・カリフラワー …… 56
- アスパラガス …… 56
- セロリ …… 57
- トマト …… 57
- なす …… 58
- きゅうり …… 59
- ズッキーニ …… 59
- とうもろこし …… 59
- かぼちゃ …… 60
- ピーマン・パプリカ …… 61
- オクラ …… 61
- にんじん …… 62
- 大根 …… 63
- ごぼう …… 64
- 玉ねぎ …… 65
- じゃがいも …… 65
- さつまいも …… 66
- 大和いも・長いも …… 66
- タケノコ …… 67
- れんこん …… 67
- きのこ類 …… 68
- なめこ …… 69
- もやし …… 69
- いんげん・さやえんどう …… 69
- 枝豆・空豆・グリンピース …… 70
- にんにく …… 70

みつば……71
青じそ……71
みょうが……71
しょうが……72
パセリ……72
タイム・バジル・ローズマリー……72
ミント……73
切り干し大根・ひじき……73
こんにゃく・しらたき……73

大豆製品
豆腐……74
油揚げ……74
厚揚げ……75
納豆……75
おから……75

果物
いちご……76
キウイ……76
パイナップル……77
オレンジ・グレープフルーツ……77
メロン・すいか……77
かき……78
みかん……78
バナナ……78
りんご……79
なし……80
アボカド……80
ぶどう……80
レモン……81
すだち・ゆず……81
ラズベリー・ブルーベリー……82
栗……82
ナッツ……82

卵・乳製品
卵……83
ヨーグルト……83
チーズ……84
バター……84
生クリーム……84

調味料・飲み物・甘い物
スパイス……85
だし……85

お茶の葉・コーヒー豆 ……86
開封後の桃・みかん缶 ……86
ジャム・はちみつ・メープルシロップ ……86
あんこ ……87
和菓子・ケーキ ……87
クッキー ……87

冷凍NG食材 ……88

Part 3 冷凍食材でスピードレシピ

主食
牛豚ミックス丼 ……90
田舎風煮込みうどん ……92
あさりとひじきの潮騒パスタ ……94
華やかちらし寿司 ……96

主菜
豚肉のイタリアン焼き ……98
ハッシュドビーフ ……100
チキンのパプリカ蒸し煮 ……102

副菜
梅とねぎの重ねカツ ……104
めかじきのみそ炒め ……106
あじの南蛮漬け ……108
キャベツとピーマンのナムル ……110
緑野菜の明太バター炒め ……111
小松菜のじゃこ炒め ……112
とろろ入りみそ汁 ……113

デザート
いちごどら焼き ……114
バナナラッシー ……115
グレープフルーツゼリー ……116

Part 4 料理別 冷凍ガイド

料理冷凍のコツ ……118

主食
炊き込みごはん ……120
お好み焼き ……121

定番の主菜＋アレンジレシピ

- ナポリタン……122
- グラタン……123
- 筑前煮……124
- 筑前煮の混ぜごはん……125
- 筑前煮の卵とじ……125
- 肉じゃが……126
- ツナコロッケ……127
- あんかけ豆腐……127
- すき焼き……128
- 油揚げサンド……129
- すき焼きうどん……129
- 角煮……130
- 角煮ピカタ……131
- 角煮の小松菜炒め……131
- 照り焼きチキン……132
- 照りチキオムライス……133
- 照りチキコールスロー……133
- 鶏のから揚げ……134
- から揚げの酢豚風……135
- から揚げのシーザーサラダ……135
- ハンバーグ……136
- ハンバーグ獅子頭……137
- スンドゥブキムチ……137
- コロッケ……138
- コロッケドッグ……139
- コロッケピザ……139
- 焼きギョーザ……140
- ギョーザ入りミネストローネ……141
- 揚げギョーザのもやしあんかけ……141
- 肉野菜炒め……142
- 野菜炒めのとろろ焼き……143
- 豆乳スープ……143
- ビーフカレー……144
- ポテトカレースープ……145
- 厚揚げのカレーあんかけ……145
- ロールキャベツ……146
- 焼き鳥風串焼き……147
- ボリュームみそ汁……147
- 焼き鮭……148
- 鮭ときゅうりの三杯酢……149
- 鮭のチャンプルー……149
- さばのみそ煮……150
- さばカツ……151
- さばマヨグラタン……151

定番の副菜＋アレンジレシピ

ひじきの煮物 152
がんもどき 153
ひじきいなり 153
きんぴらごぼう 154
きんぴら肉巻き 155
きんぴらつくね 155
ほうれんそうのごまあえ 156
ポパイの卵焼き 157
かぼちゃの煮物 157
マカロニサラダ 158
かぼタマサラダ 159
かぼちゃホットケーキ 159
ポテトサラダ 160
ポテト春巻き 161
皮なしキッシュ 161

ソース＋アレンジレシピ

トマトソース 162
トマト鍋 163
なすのトマト煮 163
ホワイトソース 164
カレードリア 165
白菜のクリーム煮 165
ミートソース 166
ミートうどん 167
洋風麻婆豆腐 167

index 168

食材の冷凍方法早見表 170

料理アシスタント／市瀬悦子・池上悦美・成瀬有紀
撮影／矢野宗利
スタイリング／吉岡彰子
イラスト／こさかいずみ
デザイン／tongpoo（尾崎文彦・目黒一枝・緑川 江里）
編集／ケイ・ライターズクラブ（代表亮子・佐々木智恵美・筋田千春）
撮影協力／エビス（ごはん用冷凍保存容器）、マーナ（シリコン製落としブタ）、
エイコー（解凍板） ※すべてP.24 掲載

冷凍保存のココがすごい！

その1
密封&小分け冷凍で、食材をおいしく使いきれる

…だから こんな失敗も解決！①

ごはんを冷凍室に入れておくと、食感がパサパサに…。

節約のため、週末にまとめてごはんを炊いて冷凍保存しています。**でも、解凍すると食感がパサパサ！** ちっともおいしくありません。**炊きたてのふっくらしたおいしさに**を保つにはどうしたら…。（20代女性）

しっかり密封して冷凍すれば、しっとりした食感のまま保存できる！

上手な冷凍保存　ごはん

- おにぎりにして冷凍
- 1食分ずつ包んで冷凍

ラップ&冷凍保存袋を使う

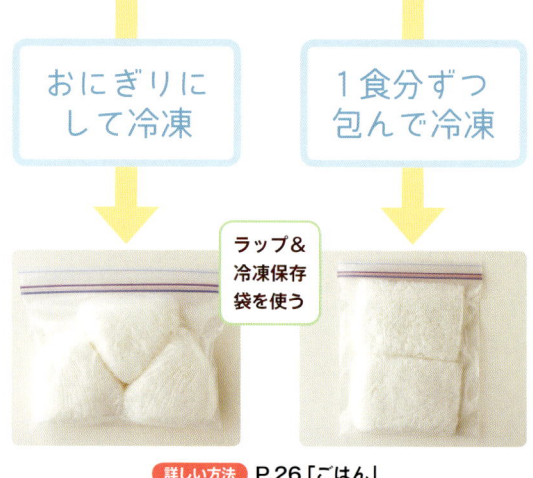

詳しい方法　P.26「ごはん」

…だから こんな失敗も解決！❷

まとめ買いして余った食材。いつも使いきれずムダになってしまいます。

いつもあれこれと食材を買いすぎてしまうせいか、食べきらないうちに腐らせてしまうことも。お肉を冷凍することもありますが、解凍したらパサパサでおいしくなくて…。（30代女性）

上手な冷凍保存 **アスパラガス**　　　　上手な冷凍保存 **薄切り肉**

ゆでてから急速冷凍し、冷凍保存袋に　　　　1食分ずつ包んで冷凍

急速冷凍してから冷凍保存袋に入れれば、野菜同士がくっつかず、好きな量だけ取り出せる

詳しい方法 P.56「アスパラガス」

あらかじめ1食分ずつ分けて冷凍すれば、一度に使う枚数ずつ取り出せる

詳しい方法 P.30「豚薄切り肉」P.34「牛薄切り肉」

小分けにしてから冷凍すれば、食材を無理なく使いきれる！

冷凍保存のココがすごい！

その2
下ごしらえ済み冷凍で調理時間を短縮できる！

…だから こんなお悩みも解決！❶

朝は調理に時間をかけられません！

忙しい朝、夫と子どものお弁当は、**市販の冷凍食品を詰めるだけ**になってしまいがち。本当は手作りのおかずを食べてほしいし、何よりこの出費はイタイ！（30代女性）

下ごしらえ済み冷凍で、お弁当のおかずがすぐに完成！

上手な冷凍保存 塩鮭

↓

焼きそぼろにして冷凍

↓

↓

こんな料理に

解凍後、ごはんと混ぜて鮭ごはんに。

詳しい方法 P.47「塩鮭」

上手な冷凍保存 ひき肉

↓

肉団子にして冷凍

↓

↓

こんな料理に

解凍後、甘辛く味付けして甘辛肉団子に。

詳しい方法 P.36「牛・豚ひき肉」
P.41「鶏ひき肉」

…だから こんなお悩みも解決！❷

帰りが遅くて自炊する時間がありません！

仕事から帰ってくると、たいてい21時オーバー。できるだけ自炊をしたいけれど、**1から作るのは面倒**。ついついコンビニで済ませてしまいます…。（20代女性）

上手な冷凍保存 鶏モモ肉

↓

ハーブで下味を付けて冷凍

↓

↓

こんな料理に そのまま焼いて、「鶏モモ肉のハーブ焼き」に。

詳しい方法 P.39「鶏肉（ムネ・モモ・ササミ）」

下味を付けておけば、カンタン調理で一品完成！

上手な冷凍保存 玉ねぎ

↓

みじん切りにして冷凍

↓

↓

こんな料理に 冷凍で細胞が壊れ、短時間で「炒め玉ねぎ」ができる！

詳しい方法 P.65「玉ねぎ」

冷凍することで、時間のかかる工程がスピーディーに！

冷凍保存のココがすごい！

その3
雑菌の繁殖＆食材の劣化を防げば、食材を**安全に**保存できる！

…だから **こんな心配も解決！❶**

自己流の冷凍保存。味はもちろん衛生面も心配です。

冷凍方法は自己流です。新鮮な食材を使うなど、衛生面には気を付けているつもり。ただ、「解凍→余った分を再冷凍」しているので、**使うたびに雑菌が増えているのではと少し心配…**。（30代女性）

小分け冷凍で使いたい分だけ取り出せば、雑菌の繁殖を防げる！

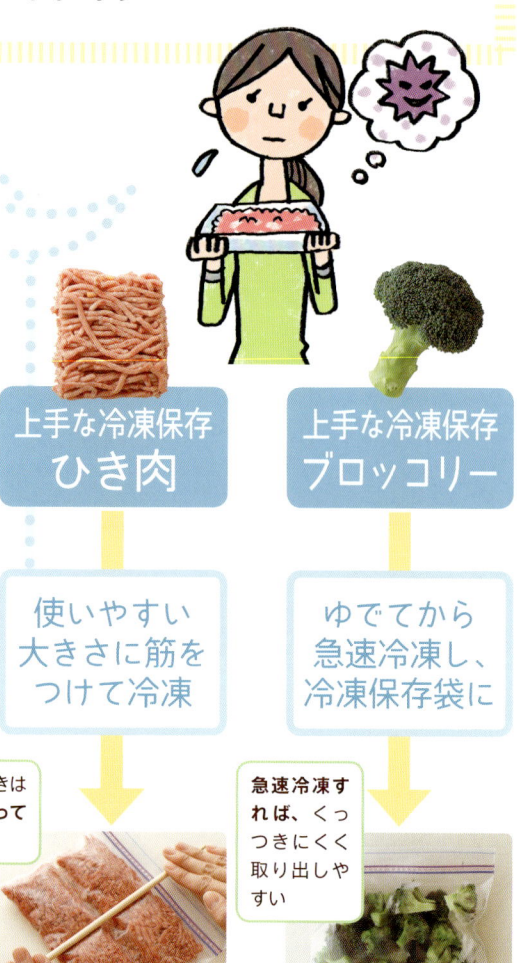

上手な冷凍保存 ひき肉
→ 使いやすい大きさに筋をつけて冷凍
→ 使うときは筋に沿って折る

上手な冷凍保存 ブロッコリー
→ ゆでてから急速冷凍し、冷凍保存袋に
→ 急速冷凍すれば、くっつきにくく取り出しやすい

使いたい分ずつ取り出せるので、再冷凍を避けられる

詳しい方法 P.36「牛・豚ひき肉」 P.41「鶏ひき肉」
詳しい方法 P.56「ブロッコリー・カリフラワー」

> …だから
> **こんな心配も解決！❷**
>
> ## 冷凍保存すると、食材は劣化するのでは？
>
> こま切れの肉をまとめて200gほどラップで包んで冷凍保存しました。解凍すると、大量のドリップが！ **うまみが流れ出てしまったようで、味も食感も悪くなりました。** 冷凍で食材が劣化するのは仕方ないのでしょうか…。（40代女性）

上手な冷凍保存　あじ

上手な冷凍保存　こま切れ肉

↓ 新鮮なうちに下処理をして冷凍

↓ 下味を付けて冷凍

傷みやすい魚の冷凍は必ず新鮮なうちに！しっかり密封して冷凍します

詳しい方法 P.43「あじ」

使いやすい分量に分けて、ラップに包んでから冷凍保存袋に入れて

詳しい方法 P.31「豚こま切れ肉」

食材に合った冷凍テクニックを使えば、食材の劣化を防げる！

冷凍保存のココがすごい！

その4
おかずの冷凍保存で時短＆バリエーション豊かに

…だから **こんなウンザリも解決！**

同じメニューが続くと飽きてしまいます…。

一度にたくさん作る「カレー」。数日は食べ続けることになり、さすがに**飽きてしまいます！** でも食べきらないとダメになるし…。(30代女性)

上手な冷凍保存　ビーフカレー

じゃがいもを取り分けて別々に冷凍

カレー / じゃがいも

詳しい方法　P.145「厚揚げのカレーあんかけ」

冷凍保存容器を使う

冷凍保存袋を使う

食材ごとの冷凍で、イザというときの**時短おかずに！**

アレンジ調理で、**バリエーション**が広がる！

詳しい方法　P.145「ポテトカレースープ」

Part 1

冷凍のキホン

実は意外と知られていない、正しい冷凍＆解凍プロセス。ポイントさえおさえれば、冷凍保存はカンタンです。おいしく安全な冷凍保存を目指して、まずは基本テクニックをマスターしましょう！

冷凍フローを徹底比較！
初心者ヘタ子さん v.s 達人ウマ子さん

Part 1 冷凍のキホン

冷凍のタイミング

冷蔵室に詰まった食材。よく見ると明日が賞味期限！ あわてて冷凍室に入れます。これでひと安心？

ここがNG！
鮮度の落ちた状態で冷凍すれば、解凍後の風味ももちろん落ちる。冷凍は、新鮮な状態で！

購入直後

スーパーで安売りの肉を見つけて、「節約のために！」とまとめて購入。パックのまま冷凍室へ。

ここがNG！
パックのまま冷凍すると、食材の風味を落とす〝乾燥〟の原因に。必ず冷凍用保存袋に入れて、密封しましょう。

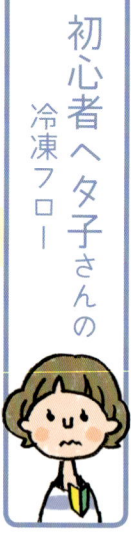
初心者ヘタ子さんの冷凍フロー

たくさん作ったおかずが余ったときも、冷凍保存袋で1食分ずつ冷凍しておきます。

ここがGOOD！
冷凍したおかずは、料理にかける時間がないときの救世主！ 自分で作れば、市販のものを買うよりも経済的なことも。

詳しい方法 P.138「コロッケ」

安売りの肉をまとめて購入。すぐに使いきれない分は、小分けにして冷凍室に入れておきます。

ここがGOOD！
小分け冷凍は、使う分だけ取り出せて便利。味が落ちる原因になり、衛生的にNGの再冷凍も防げます。

詳しい方法 P.18「冷凍のキホン」

達人ウマ子さんの冷凍フロー

冷凍室の中に冷凍食材が入っている人は多いはず。
正しい冷凍方法を知らず悪戦苦闘するヘタ子さんと、冷凍を上手に使いこなすウマ子さん。
あなたはどちらのタイプですか？

フィニッシュ

気づけば、冷凍室にはいつ冷凍したのかわからない食材だらけ。泣く泣く捨てることに。結局節約になりませんでした！

解凍

冷凍室からパックの肉を取り出して解凍。余った分はすぐには使わないので、もう一度冷凍室へ。

ここがNG！
冷凍食材はぱっと見て食材の状態が分かりにくいので、日付管理が必須。冷凍保存袋に日付を記入すると◎。

ここがNG！
一度解凍した食材を再冷凍すると、味がひどく落ちてしまいます。解凍したときについてしまう雑菌も心配。

冷凍したおかずは、解凍してそのまま食べるだけでなく、アレンジ料理にも使います。味に飽きることなく、おいしく使いきることができました！

慌ただしい朝や、夕飯を作る時間がないときは、冷凍食材を使って調理します。

ここがGOOD！
冷凍したおかずのアレンジ方法を知っておけば、料理のレパートリーが一気に広がります。

詳しい方法 P.139「コロッケピザ」

ここがGOOD！
下ごしらえをした食材で、調理時間を短縮。食材のおいしさを保つのにも役立つので、まさに一石二鳥です。

詳しい方法 P.90「牛豚ミックス丼」

1　冷凍のキホン

冷凍の基本は「小分けにする→冷凍保存袋に入れる」という、たったの2ステップ。
さらに「下ごしらえをする」「急速冷凍してから冷凍保存袋に移し替える」の
ひと手間を加えると、調理がラクになり、時間も短縮できます。

基本プロセス

1 小分けにする

＊そのまま小分け

ラップやシリコンカップで、使いやすい量ずつ小分けにします。

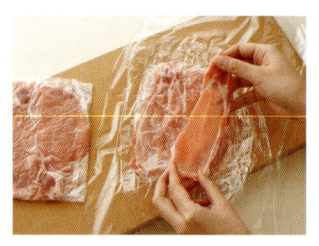

＊下ごしらえして小分け

「下味を付ける」「ゆでる」「炒める」など、下ごしらえした状態で小分けにします。

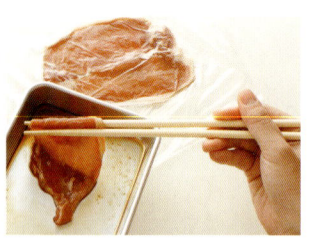

ポイント

バラバラの状態で取り出したい食材は、急速冷凍を

使いたい分量ずつバラバラの状態で取り出したい食材は、互いにくっつかないよう、金属バットに広げて急速冷凍してから冷凍保存袋に。

2 冷凍保存袋に入れる

乾燥やニオイ移りを防ぐため、しっかり密封できる冷凍保存袋に入れて冷凍室へ。

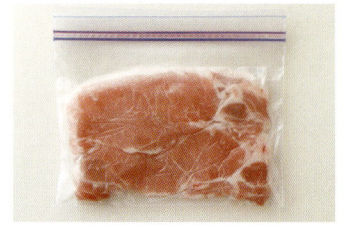

これさえできればOK！
冷凍テクニック

テクニック1
しっかり密封できる冷凍保存袋を使う

どんな場合も、冷凍保存袋に入れるのが冷凍の鉄則！　食材をラップに包んだだけの状態で冷凍すると、乾燥して味が落ちたり、他の食品のニオイが移ってしまう原因に。「開封後の袋を輪ゴムで縛って保存」も、もちろんNGです。

テクニック2
小分けにしてから冷凍する

冷凍する前に、一度に使いきれる量に分けておくのが安全な冷凍のルール。丸ごと冷凍すると、使うときに袋全体を解凍することに。眠っていた雑菌が繁殖した状態での〝再冷凍〟は、衛生面でNG。味も落ちるのでやめましょう。

テクニック3
金属バットを活用する

アルミやステンレス製のバットは、冷凍保存の便利アイテム。金属は熱の伝導率がいいため、冷凍室の冷気が食材に伝わりやすくなり、急速冷凍にはぴったりです。

2　解凍のキホン

解凍の方法は、食材の特徴に合わせて
「半解凍」「解凍」「解凍加熱」の3パターンの中から選びます。

半解凍

電子レンジの解凍モードで〝半解凍〟状態にします。生肉や魚といったやわらかいものは半解凍状態の方が切りやすいため、解凍しすぎないよう注意しましょう。

半解凍する食材
生肉／生魚

鶏モモ肉
豚薄切り肉
魚の切り身

半解凍状態の見分け方
ラップの外から押したとき、中が少しかたい状態が目安です。

解凍

電子レンジの解凍モードで完全に〝解凍〟します。時間に余裕がある場合は、冷蔵室で自然解凍してもOK。

解凍する食材
加熱調理するもの／常温で食べるもの／
冷たい状態で食べるもの

鮭の焼きそぼろ

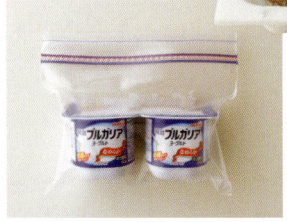

ヨーグルト（加糖）

納豆

時間がないときは…
時間がない場合は、電子レンジの普通モードで短時間加熱しましょう。あっという間に加熱されてしまうため、目を離さないようにしてください。

解凍加熱

電子レンジの普通モードで、湯気が出るまで〝加熱〟します。ごはんは、自然解凍しただけでは解凍前の状態に戻らず、パサついたかたい食感になってしまいます。解凍時にしっかり加熱すれば、ふっくらした食感に戻ります。

解凍加熱する食材

温かい状態で食べるもの（ごはん、パスタなど）

ごはん

パスタ（ゆでたもの）

> **ごはんはなぜ「解凍加熱」？**
>
> 冷凍したごはんを自然解凍すると、パサパサしたかたい食感。これは、温かい状態のごはんに含まれる「αデンプン」が、冷凍すると「βデンプン」に変化するためです。加熱すると「αデンプン」に戻り、やわらかい炊きたての食感に。

凍らせた方が調理がラクになる食材

食材によっては、生のまま調理するより、冷凍してから調理した方が時間をグッと短縮できるものがあります。時短テクニックとして、ぜひ活用してみてください。

＊炒め玉ねぎ

炒め玉ねぎは、みじん切りした玉ねぎを長時間炒めて細胞を破壊し、水分を限界まで飛ばしたもの。玉ねぎを冷凍すると自然に細胞が破壊されるので、炒める時間を短縮できます。凍ったままフライパンに入れてOKです。

＊トマト

冷凍したトマトは水につけるだけで皮が簡単にむけるので、湯むきの手間いらず。また、凍ったまますりおろせるので、切ったりつぶしたりする手間も省けます。これで、短時間でトマトソースを作ることができます。

3 冷凍&解凍のギモン

冷凍にまつわる素朴な疑問にお答えします。
正しい冷凍知識と一緒に、安全でおいしい〝冷凍ライフ〟をエンジョイしましょう！

Part 1 冷凍のキホン

Q 冷凍した食材って安全ですか？

A 新鮮な食材を清潔な状態で冷凍すれば、安全とおいしさをキープすることができます。

「手はよく洗い、清潔な菜箸やまな板を使う」「買ってきたその日に小分けして密封」。このふたつが、食材の安全とおいしさをキープする冷凍のコツ。買い物した後は、まず「すぐに使うもの」「冷凍保存するもの」に分けることを習慣に。

食材に直接手で触れる場合は、事前にしっかり手を洗って。

Q 食材を冷凍すると、パサつく気がします…。

A 冷凍保存袋に入れて、乾燥やニオイ移りを防ぎましょう。

パサついた食感は、冷凍による食材の乾燥が原因。必ず、密封できる冷凍保存袋に入れるようにしましょう。気になるニオイ移りも防げます。また、調味料に浸したまま保存すれば、食材の乾燥をよりしっかり防ぐことができます。

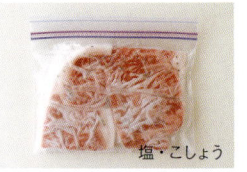
塩・こしょう

ハーブ漬け

下味を付けておけば、調理時間の短縮にもなります。

22

Q 冷凍保存袋の中に霜がついています。おいしさが逃げているのでは、と心配です。

A 霜は、食材の**水分が蒸発**してできたもの。食材が**乾燥、劣化**している証拠です。

冷凍室内の温度が上がると食材に含まれる水分が蒸発し、それが凍ると「霜」になります。つまり、霜は食材が乾燥している証拠。冷凍室内の温度上昇が原因なので、食材を大量に詰め込んだり、むやみに開閉したりしないようにしましょう。

水分の多い野菜を冷凍するときは、あらかじめ加熱調理しておくと◎。

Q 冷凍食材で作った料理を冷凍保存したいです。

A 再冷凍はNG！冷凍食材を使うときは**食べきれる分量だけ取り出す**ようにしましょう。

再冷凍は食材の味を落とすだけでなく、解凍したときに繁殖した雑菌をそのまま冷凍することにもなるのでNG。「冷凍食材を使った料理」も再冷凍しない方がベター。料理の作りすぎを防ぐためにも、小分けにして冷凍するようにしましょう。

Q 野菜を生のまま冷凍したいのですが。

A 生の状態での冷凍はおすすめしません。**下ごしらえしてから冷凍**するようにしましょう。

野菜をそのまま冷凍すると、色や風味が悪くなってしまいます。「下ゆでする」「炒める」などの下ごしらえが、野菜をおいしく保存する秘訣です。

4 冷凍保存キホンの道具

Part 1 冷凍のキホン

> 乾燥を防ぐ

冷凍保存容器

液体や、形が崩れやすいもの（ケーキなど）を冷凍したいときは、冷凍保存容器が便利。

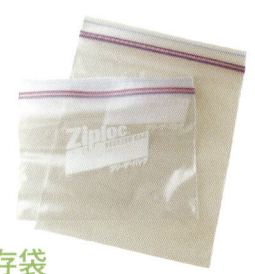

冷凍保存袋

ラップだけでは空気を通すので、必ず冷凍保存袋に入れて保存しましょう。「冷凍した日付」を油性ペンで書いておくと、早く使わないといけない食材がひと目で分かって◎。

ごはん用冷凍保存容器

ごはん一膳分が入る大きさの冷凍保存容器。蒸気を逃がす穴が開いているので、解凍加熱したとき容器が破裂するのを防ぐことができます。

> 小分けにする

ラップ

食材を冷凍保存袋や冷凍保存容器に入れる前にラップで小分けにしておくと、使いたい分量ずつ取り出すことができて便利です。

シリコンカップ

冷凍室の温度に対応しているシリコンカップなら、食材を入れてそのまま冷凍OK。お弁当に使うとき、冷凍室から出して（必要であれば解凍したあと）すぐ詰められるので、ぐっと時短に。

金属バット

互いにくっつきやすい食材は、冷凍保存袋に入れる前に金属バットで冷凍して、バラバラの状態に。取り出すとき互いにくっつきにくくなります。

お菓子のフタでも代用可能

金属バットがない場合は、お菓子の缶のフタを使うこともできます。

> 解凍アイテム

解凍時、ラップの代わりに

解凍するとき、ラップの代わりにシリコン製の落しブタを使って節約に！

自然解凍がスピーディに

冷凍食材をのせるだけで常温でもスピーディに解凍できる、熱伝導率の高い金属もあります。ドリップが出にくいので、刺身や肉の解凍にぴったりです。

Part 2

食材別 完全冷凍ガイド

食材を冷凍する前に、まずは食材の冷凍方法をチェック！ 食材の特徴に合わせた、ベストな方法をご紹介します。冷凍保存期間の目安も紹介しているので、参考にしてみてください。

ごはん・パン・麺類

ごはん

冷凍したごはんは、自然解凍するとパサついてかたくなる。食べるときには必ず電子レンジで加熱し、ふっくらした状態に戻して。

おにぎりにする

1 おにぎりを作り、1つずつラップで包む。

ポイント 冷める前にラップで包むと表面の乾燥を防ぐことができるので、しっとりした食感を保てる。

2 冷めたら、冷凍保存袋に入れる。

冷凍保存期間 1カ月
解凍加熱方法 電子レンジで解凍加熱する

1食分ずつ包む

1 ごはんが温かいうちに、1食分ずつラップで包む。

ポイント 均一に冷めるよう平らに成形する。

2 冷めたら、冷凍保存袋に入れる。

冷凍保存期間 1カ月
解凍加熱方法 電子レンジで解凍加熱する

1つずつ包む

1 1つずつラップで包んで冷凍保存袋に入れる。

冷凍保存期間 1カ月
解凍加熱方法 そのまま焼く

もち

お正月などに余ってしまいがちなもち。冷凍すれば、凍ったまま焼けるので便利。冷蔵室に入れておくよりも、長くおいしく保存できる。

ロールパン・マフィン・クロワッサン

厚みのあるパン類は、凍ったまま焼くと中まで火が通る前に表面が焦げることも。焼く前に、自然解凍させるか電子レンジで解凍を。

1つずつ包む

1 1つずつラップで包んで冷凍保存袋に入れる。

ポイント
厚みのあるパンは、電子レンジで解凍してから焼くのが基本ルール。また、電子レンジで加熱すると、冷めたときかたくなってしまうので注意する。

冷凍保存期間 1カ月
解凍加熱方法 自然解凍か電子レンジで解凍してから焼く

食パン

開封後のパンは、袋のまま冷凍するとパサついておいしさが半減。必ず冷凍保存袋に入れて密封を。食べるときはそのままトーストすればOK。

1枚ずつ包む

1 1枚ずつラップで包んで冷凍保存袋に入れる。

ポイント
サンドイッチにして冷凍したいときは、冷凍に適した具材(ハム・サーモンなど)をはさむ。

冷凍保存期間 1カ月
解凍加熱方法 そのまま焼く

ホットケーキ

朝ごはんやおやつの定番ホットケーキは、焼いた状態で保存OK。解凍後にフライパンで焼けば、カリッとした食感に。

1枚ずつ包む

1 1枚ずつラップで包んで冷凍保存袋に入れる。

冷凍保存期間　1カ月

解凍加熱方法　電子レンジで解凍してから、フライパンまたはオーブントースターで温める

総菜パン

具の入った総菜パンも、冷凍保存が可能。食べるときは、厚みがあるものは電子レンジで解凍してから、薄いものはそのまま、オーブントースターで温めて。

1つずつ包む

1 1つずつラップで包み、冷凍保存袋に入れる。

ポイント
総菜パンの中身は、冷凍に向いている食材を選ぶ。じゃがいもなど、冷凍することで食感が変わってしまうものは避ける。

冷凍保存期間　1カ月

解凍加熱方法　電子レンジで解凍してから、アルミホイルで包んでオーブントースターで温める

1食分ずつ包む

1 パッケージのまま冷凍保存袋に入れる。開封したものは、使いやすい分量ずつラップで包み、冷凍保存袋に入れる。

冷凍保存期間　1カ月　　解凍方法　電子レンジで解凍する

生麺・ゆで麺

生麺はそのままでも冷凍可能だが、ゆでてから保存すると調理時間の短縮に。調理時の加熱を想定して、ゆでる際にはかために仕上げて。

Part 2　食材別　完全冷凍ガイド

ごはん・パン・麺類

パスタ

ゆでてから冷凍保存すれば、ゆで時間いらずで調理のスピードアップ！くっつき防止にオイルをまぶすのがポイント。湯通しで解凍してもOK。

1食分ずつ包む

1 麺同士がくっつかないよう、全体にオイルをまぶし、冷ます。

2 使いやすい分量ずつラップで包み、冷凍保存袋に入れる。

冷凍保存期間	1カ月
解凍方法	電子レンジで解凍する

小麦粉・パン粉

常温保存だと湿気や虫が気になる粉類は、冷凍保存しておくと安心。パッケージごとでも冷凍できる。

そのまま保存袋に入れる

1 パッケージの口を閉じて、冷凍保存袋に入れる。または中身を冷凍保存袋に入れ空気を抜く。

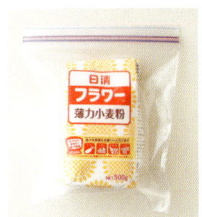 

冷凍保存期間	1カ月
解凍方法	そのまま使う

ギョーザの皮

中途半端に余りがちなギョーザの皮。冷凍しておけば、素揚げにしてつまみに、チーズを包んで焼き、お弁当にと便利。

1食分ずつ包む

1 使いやすい分量ずつラップで包み、冷凍保存袋に入れる。

ポイント
凍った状態だと生地同士がくっついてはがしにくいため、完全に解凍してからはがすとよい。

冷凍保存期間	1カ月
解凍方法	電子レンジで解凍する

肉類

豚薄切り肉

食卓に登場することの多い薄切り肉。そのまま、塩・こしょうで下味、しょうゆで下味などバリエーションをつけて冷凍すると、解凍後の調理がラクに。

塩・こしょうで下味

1 ラップを敷き、塩・こしょう各少々をふる。その上に肉を2～3枚ずつ広げて並べ、上にラップをかぶせる。

> **ポイント**
> 薄切り肉は、片面のみ塩・こしょうだけでも味が染み込む。

2 1の上に同様の方法で肉を並べ数段重ねる。最後に全体をラップで包み、冷凍保存袋に入れる。

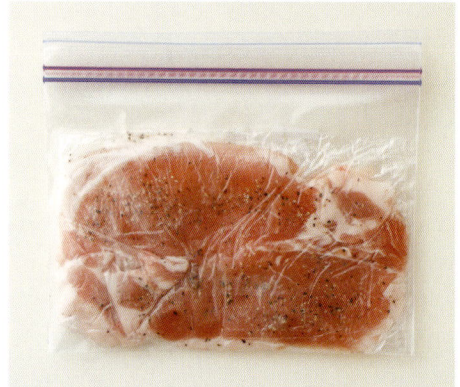

冷凍保存期間 3～4週間
解凍加熱方法 1食分ずつ取り出し、凍ったまま調理する

1食分ずつ包む

1 ラップを敷き、保存袋の大きさに合わせ2～3枚ずつ広げて並べる。上にラップをかぶせる。

2 1の上に同様の方法で肉を並べ数段重ねる。最後に全体をラップで包み、冷凍保存袋に入れる。

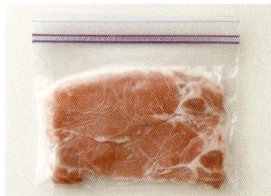

> **ポイント**
> 凍ったまま1食分ずつ取り出せるので、ラップ・肉・ラップの順に3～4段重ねてもOK。

冷凍保存期間 3～4週間
解凍加熱方法 1食分ずつ取り出し、凍ったまま調理する

豚こま切れ肉

大きなパックでまとめ買いすることの多いこま切れは、小分けにして保存を。用途によっては、薄切り肉のように広げて冷凍してもよい。

しょうゆで下味

1 ボウルに肉と、しょうゆ・みりん各少々を入れ、混ぜる。

ポイント
下味は、肉全体にまんべんなくからめておく。

2 使いやすい分量に分けてラップで包み、冷凍保存袋に入れる。

冷凍保存期間　3〜4週間
解凍方法　電子レンジで解凍する

しょうゆで下味

1 金属バットにしょうゆ・みりん各少々を入れ、肉にまぶす。ラップの上に肉を2〜3枚ずつ広げて並べ、上にラップをかぶせる。

ポイント
肉類を扱うときには、雑菌がつくのを防ぐため、手や菜箸を清潔な状態にしておくのが基本ルール。

2 1の上に同様の方法で肉を並べ数段重ねる。最後に全体をラップで包み、冷凍保存袋に入れる。

冷凍保存期間　3〜4週間
解凍加熱方法　1食分ずつ取り出し、凍ったまま調理する

豚厚切り肉

トンカツにすることの多い厚切り肉は、冷凍前に衣をつけておくと便利。もちろん、塩・こしょうだけでも調理がラクに。

トンカツの衣をつける

1. 肉の両面に塩・こしょう各少々をふり、小麦粉・溶き卵・パン粉各適量を順にまぶす。

   ポイント
   揚げた状態でも冷凍可能。冷ましてから金属バットの上に並べ、ラップをかけて冷凍し、凍ったら冷凍保存袋に移す。オーブントースターで解凍加熱して食べる。

2. 1つずつラップで包み、冷凍保存袋に入れる。

[冷凍保存期間] 3～4週間
[解凍加熱方法] 凍ったまま揚げる

塩・こしょうで下味

1. ラップを敷き、塩・こしょう各少々をふる。その上に肉を置き、さらに塩・こしょう各少々をふる。

2. 1をラップで包み、冷凍保存袋に入れる。

[冷凍保存期間] 3～4週間
[解凍加熱方法] 電子レンジで半解凍、または凍ったまま調理する

Part 2 食材別 完全冷凍ガイド　肉類

豚ブロック肉

一度に使いきれない大きなかたまり肉は、少量に分けて冷凍するのがおすすめ。冷凍前にゆでれば、スープも一緒にストックできて一石二鳥。

ゆで豚にする

1 熱湯に酒・塩・ねぎ・しょうが各適量を加え、肉をゆでる。

ポイント
ゆで汁はスープとして使える。冷ましてから冷凍保存容器に入れ、冷凍しておくと便利。

2 使いやすい大きさに切って、それぞれをラップで包み、冷凍保存袋に入れる。

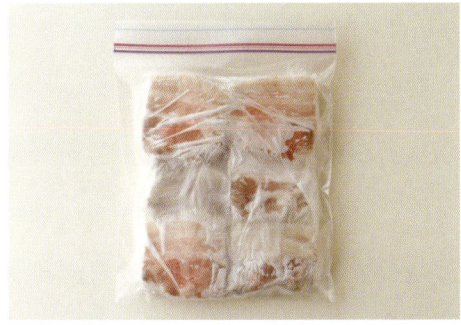

冷凍保存期間 4～5週間
解凍加熱方法 電子レンジで解凍加熱する

使いやすい大きさに切る

1 肉を使いやすい大きさに切り分けて金属バットの上に並べ、ラップをかけて急速冷凍し、凍ったら冷凍保存袋に移す。

ポイント
そのまま冷凍保存袋に入れるとくっついてしまいそうな食材は、事前に金属バットの上で急速冷凍してバラバラにしておく。食材が金属バットとくっつきそうな場合は、下にラップを敷いておくとよい。

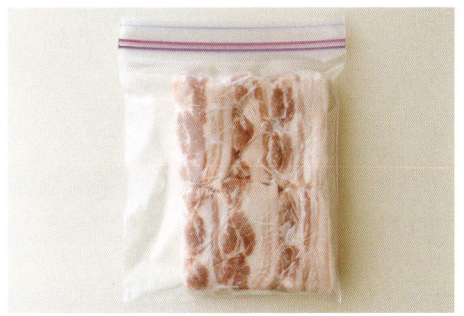

冷凍保存期間 3～4週間
解凍加熱方法 電子レンジで半解凍、または凍ったまま調理する

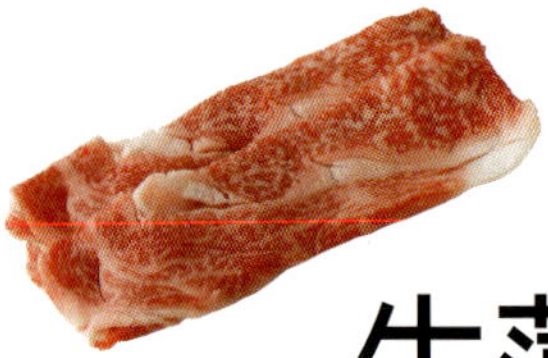

牛薄切り肉

冷蔵保存するとパサついてしまいがちな薄切り肉。しょうゆなどの液体調味料で下味をつけて保存すればパサつきが防げて、調理もラクに。

しょうゆで下味

1 金属バットにしょうゆ・みりん各少々を入れ、肉にまぶす。ラップの上に肉を2〜3枚ずつ広げて並べ、上にラップをかぶせる。

2 1の上に同様の方法で肉を並べ数段重ねる。最後に全体をラップで包み、冷凍保存袋に入れる。

冷凍保存期間　3〜4週間
解凍加熱方法　1枚ずつ取り出し、凍ったまま調理する

1食分ずつ包む

1 ラップを敷き、保存袋の大きさに合わせ2〜3枚ずつ広げて並べる。上にラップをかぶせる。

2 1の上に同様の方法で肉を並べ数段重ねる。最後に全体をラップで包み、冷凍保存袋に入れる。

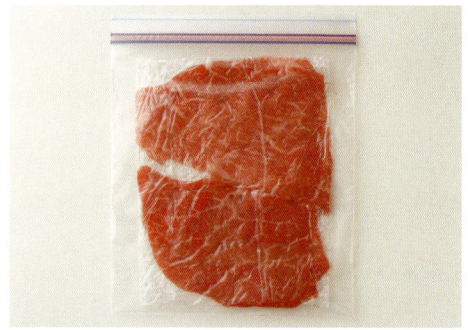

冷凍保存期間　3〜4週間
解凍加熱方法　1枚ずつ取り出し、凍ったまま調理する

牛厚切り肉

冷凍した肉を解凍すると、ドリップが出やすい。出にくくするには、あらかじめ焼いてから冷凍するとよい。

表面を焼く

1. 肉を使いやすい大きさに切り分け、フライパンで表面全体に焼き色がつくまで焼く。

2. 冷ましてから1切れずつラップで包み、冷凍保存袋に入れる。

冷凍保存期間　4～5週間
解凍加熱方法　電子レンジで解凍加熱する

塩・こしょうで下味

1. 肉を使いやすい大きさに切り分ける。ラップを敷き、塩・こしょう各少々をふる。肉を置き、さらに塩・こしょう各少々をふる。

2. 1切れずつラップで包み、冷凍保存袋に入れる。

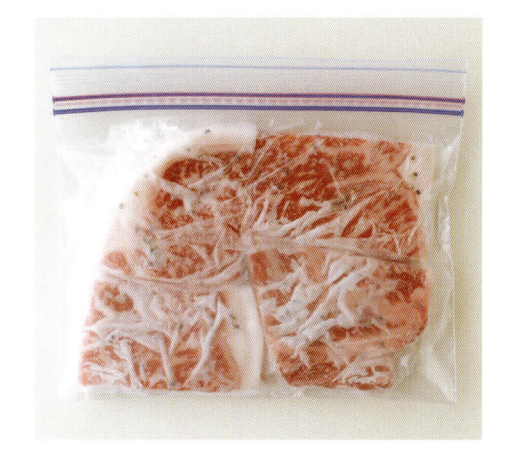

冷凍保存期間　3～4週間
解凍加熱方法　電子レンジで半解凍、または凍ったまま調理する

牛・豚ひき肉

傷みやすいひき肉は、購入したらすぐに冷凍保存を。冷凍保存袋に移して筋をつけるだけなら簡単で衛生的。加熱してから冷凍すると、より安全。

肉そぼろにする

1. フライパンで肉をほぐしながら炒める。肉の色が変わってきたら、塩・こしょう各少々を加える。

2. 冷ましてから使いやすい分量に分けてラップで包み、冷凍保存袋に入れる。

冷凍保存期間 4〜5週間
解凍加熱方法 電子レンジで解凍加熱する

1食分ずつ分ける

1. 肉をそのまま冷凍保存袋に入れ、空気を抜いて平らにする。箸を使って、使いやすい大きさに筋をつける。

ポイント
ラップで使いやすい分量に小分けにしてから、冷凍保存袋に入れてもよい。→P.41

2. 使うときは筋に沿って折り、使う分だけ冷凍保存袋から取り出す。

冷凍保存期間 3〜4週間
解凍方法 電子レンジで解凍する

Part 2 食材別 完全冷凍ガイド

肉類

肉みそにする

1. フライパンで肉をほぐしながら炒める。色が変わったら火からおろしてみそ・しょうゆ・みりん・砂糖各適量を加えて混ぜる。再び火にかけ、汁気を飛ばす。

2. 冷ましてから使いやすい分量に分けてラップで包み、冷凍保存袋に入れる。

[冷凍保存期間] 4〜5週間
[解凍加熱方法] 電子レンジで解凍加熱する

肉団子にする

1. 肉団子のタネを作る。丸めたら金属バットの上に間隔をあけて並べ、ラップをかけて冷凍する。

2. 凍ったら冷凍保存袋に移す。

ポイント
ゆでてから冷凍してもよい。→ P.41

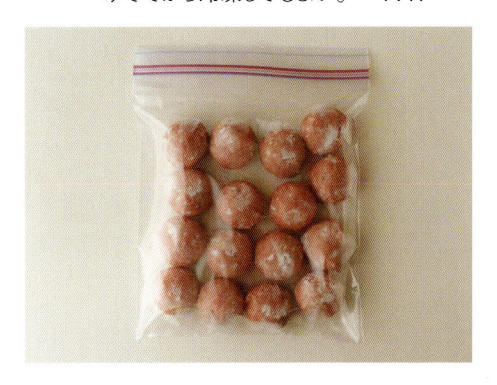

[冷凍保存期間] 3〜4週間
[解凍加熱方法] 凍ったまま調理する

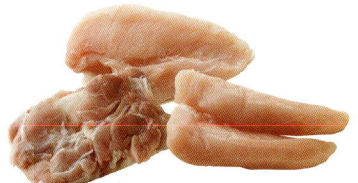

鶏肉（ムネ・モモ・ササミ）

冷凍するとニオイが気になることもあるので、冷凍前に水分をふき取ることをお忘れなく。ペーパータオルでおさえるだけでOK。

Part 2 食材別 完全冷凍ガイド　肉類

塩・こしょうで下味

1. ラップを敷き、その上に塩・こしょう各少々をふる。肉を置き、さらに塩・こしょう各少々をふる。
2. 1枚ずつラップで包み、冷凍保存袋に入れる。

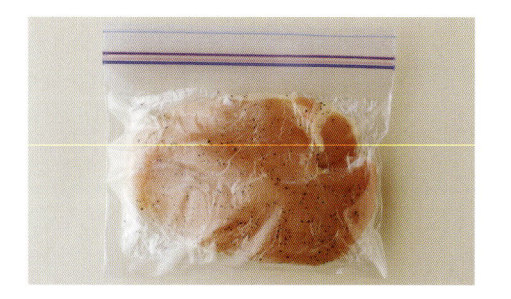

冷凍保存期間　3～4週間
解凍方法　電子レンジで半解凍する

1食分ずつ包む

1. 食べやすい大きさに切り、使いやすい分量に分けてラップで包み、冷凍保存袋に入れる。

ポイント
切らずに1枚のままで冷凍してもOK。

冷凍保存期間　3～4週間
解凍方法　電子レンジで解凍する

しょうゆで下味

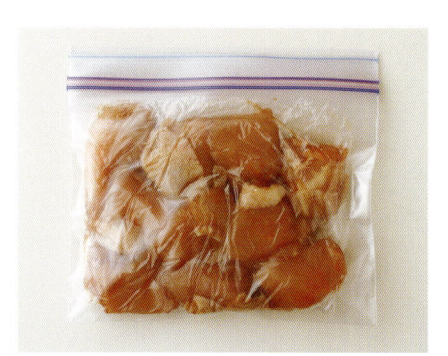

1. ボウルにひと口大に切った肉と、しょうゆ・みりん各少々を入れ、混ぜる。
2. 使いやすい分量に分けてラップで包み、冷凍保存袋に入れる。

冷凍保存期間　3～4週間
解凍方法　電子レンジで解凍する

蒸し鶏にする（ムネ・ササミ）

1 肉に塩・こしょう各少々をなじませ、長ねぎ・しょうがと共に耐熱皿に並べて酒少々をふる。電子レンジで3分加熱し、裏返してさらに2分加熱する。

2 冷ましてから細かく割いて、使いやすい分量に分けてラップで包み、冷凍保存袋に入れる。

ポイント
冷ましたあと、1枚まるごと冷凍してもOK。

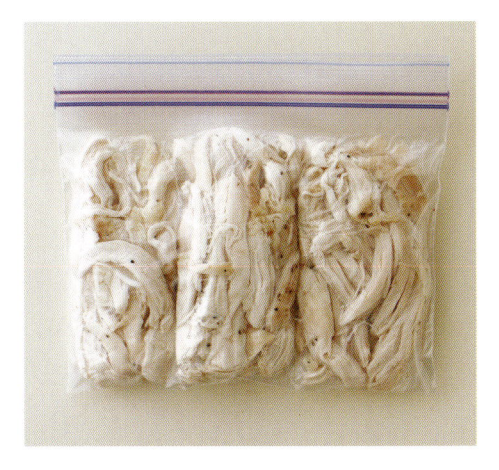

冷凍保存期間　4〜5週間
解凍方法　電子レンジで解凍する

ハーブ漬けにする

1 皮にフォークで穴を開け、塩・こしょう各少々をもみ込む。

2 肉と、オリーブオイル・にんにく・ローズマリー各適量を冷凍保存袋に入れ、よくもんでなじませる。

冷凍保存期間　3〜4週間
解凍方法　電子レンジで解凍する

鶏手羽先・手羽元

水で洗ったあと、ペーパータオルでしっかり水気をふき取ってから冷凍すれば、冷凍時のニオイを抑えることができる。

Part 2 食材別 完全冷凍ガイド 肉類

塩・こしょうで下味

1. ラップを敷き、塩・こしょう各少々をふる。その上に肉を置き、さらに塩・こしょう各少々をふる。

2. 1本ずつラップで包み、冷凍保存袋に入れる。

冷凍保存期間：3〜4週間
解凍方法：電子レンジで解凍する

1本ずつ包む

1. 1本ずつ分けてラップで包み、冷凍保存袋に入れる。

ポイント
解凍時に水分が出てしまうことがあるので、調理前にもペーパータオルで水気をふき取る。

冷凍保存期間：3〜4週間
解凍方法：電子レンジで解凍する

しょうゆで下味

1. ボウルに肉を入れ、しょうゆ・みりん各少々を入れ、混ぜる。

2. 1本ずつラップで包み、冷凍保存袋に入れる。

冷凍保存期間：3〜4週間
解凍方法：電子レンジで解凍する

鶏ひき肉

おかずのボリュームアップやお弁当作りに便利な鶏ひき肉。いつでも使えるよう、少量ずつ冷凍するのがオススメ。少量なら解凍もスピーディー。

甘辛そぼろにする

1. 肉をほぐしながら炒める。色が変わったら火からおろしてしょうゆ、みりん、酒、砂糖各少々を加えて混ぜる。再び火にかけ、汁気を飛ばす。

2. 冷ましてから使いやすい分量に分けてラップで包み、冷凍保存袋に入れる。

冷凍保存期間 4〜5週間
解凍加熱方法 電子レンジで解凍加熱する

1食分ずつ包む

1. 使いやすい分量に分けてラップで包み、冷凍保存袋に入れる。

ポイント
そのまま冷凍保存袋に入れ、箸を使って使いやすい大きさに筋をつけて冷凍してもよい。→ P.36

冷凍保存期間 3〜4週間
解凍方法 電子レンジで解凍する

肉団子にする

1. 肉団子のタネを作って丸め、酒少々を加えた熱湯でゆでる。

2. 水気をきって冷まし、金属バットに間隔をあけて並べ、ラップをかけて冷凍する。凍ったら冷凍保存袋に移す。

冷凍保存期間 4〜5週間
解凍加熱方法 電子レンジで解凍加熱、または凍ったまま調理する

ポイント
ゆでる前の状態で冷凍してもいい。→ P.37

肉類加工品

ハムやベーコンは使いかけのパッケージのまま冷蔵しがちだが、開封すると一気に劣化が進んでしまう。使わない分は早めに冷凍保存を。

そのまま保存袋に入れる

1. ウインナーソーセージは、そのまま冷凍保存袋に入れる。

   ポイント
   凍ったまま炒め物やスープなどに入れて使いたい場合は、使いやすい大きさに切ってから冷凍する。また、ハムやベーコンは、薄切り肉と同じように1食分ずつ包んで冷凍する。
   → P.30

冷凍保存期間　4〜5週間
解凍方法　凍ったまま調理する

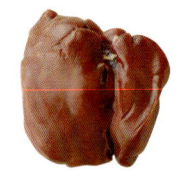

レバー

傷みやすいレバーは、買ってすぐに使わないなら即冷凍を。調味料と一緒に冷凍すれば、気になるニオイも抑えられる。

しょうゆで下味

1. 水か牛乳に15分ほど浸してくさみをとり、水気をきる。

2. 肉と、しょうゆ・酒・にんにく各適量を冷凍保存袋に入れ、なじませる。

冷凍保存期間　3〜4週間
解凍方法　電子レンジで解凍する

Part 2　食材別　完全冷凍ガイド　肉類・魚介類

魚介類

あじ

新鮮なものなら、一尾丸ごと冷凍もOK。ただし、傷みやニオイの元となるワタやエラは必ず処理してから。

3枚におろす

1. ゼイゴを取り、頭を落として腹ワタを取り出し、よく洗う。3枚におろす。

2. ペーパータオルで水気をふき取り、1枚ずつラップで包み、冷凍保存袋に入れる。

冷凍保存期間：2週間
解凍方法：電子レンジで半解凍、または凍ったまま調理する

1尾ずつ保存袋に入れる

1. ゼイゴを取り、頭を落として腹ワタを取り出し、よく洗う。

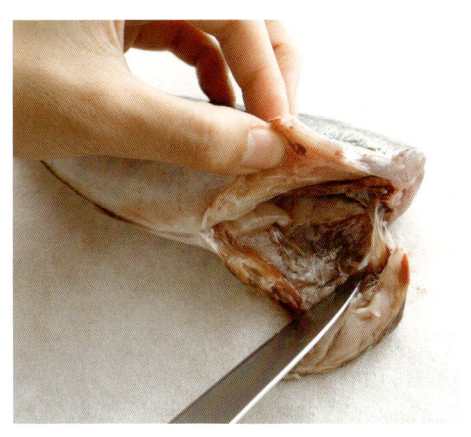

2. ペーパータオルで水気をふき取り、1尾ずつラップで包み、冷凍保存袋に入れる。

冷凍保存期間：2週間
解凍方法：電子レンジで半解凍、または凍ったまま調理する

いわし

傷みやすいいわしは、新鮮なものを購入してすぐに冷凍を。すり身にしておけば、つみれ汁やハンバーグなど、用途が広がる。

しょうゆで下味

1. 身を開き、ラップを敷いた金属バットにのせる。しょうゆ・酒各少々をふる。

2. 1枚ずつラップで包み、冷凍保存袋に入れる。

| 冷凍保存期間 | 2週間 |
| 解凍方法 | 電子レンジで半解凍、または凍ったまま調理する |

さんま

ぶつ切りなら下処理も簡単。ただし、ワタだけは必ず取って。水分をきちんとふいて冷凍すれば、水っぽくならない。

ぶつ切りにする

1. ぶつ切りにしてワタを取り、金属バットの上に並べ、ラップをかけて冷凍する。凍ったら冷凍保存袋に移す。

| 冷凍保存期間 | 2週間 |
| 解凍方法 | 電子レンジで半解凍、または凍ったまま調理する |

Part 2 食材別 完全冷凍ガイド 魚介類

さば

時間が経つとニオイが気になるさばは、下味冷凍がオススメ。味が染み込んでおいしくなり、調理もラクに。

しょうゆで下味

1. 2枚におろしたあと、使いやすい大きさに切る。金属バットにさばと、しょうゆ・酒・しょうが各適量を加えて合わせる。

2. 1切れずつラップで包み、冷凍保存袋に入れる。

[冷凍保存期間] 2週間
[解凍方法] 電子レンジで半解凍、または凍ったまま調理する

すり身にする

1. 身を包丁で叩いてつぶし、みそ・酒・しょうが各適量を加えて混ぜる。冷凍保存袋に入れ、空気を抜いて平らにする。

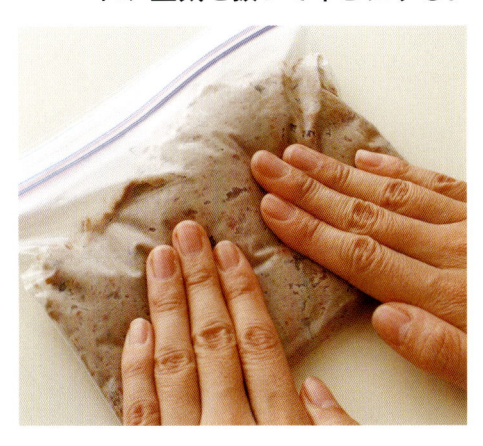

2. 箸を使って、使いやすい大きさに筋をつける。使うときは筋に沿って折り、使う分だけ保存袋から取り出す。

ポイント
ラップで使いやすい分量に小分けにし、冷凍保存袋に入れてもよい。→ P.41

[冷凍保存期間] 2週間
[解凍方法] 電子レンジで解凍する

Part 2 食材別 完全冷凍ガイド　魚介類

切り身

鯛、さわら、ぶり、めかじき、生鮭など

切り身を冷凍する際は、均一に冷凍・解凍できるよう、厚みや大きさをそろえて切り分けるのがポイント。

しょうゆで下味

1. 金属バットに切り身と、しょうゆ・酒・しょうが各少々を加えて合わせる。

2. 1切れずつラップで包み、冷凍保存袋に入れる。

冷凍保存期間 2週間
解凍方法 電子レンジで半解凍、または凍ったまま調理する

1切れずつ包む

1. 1切れずつラップで包み、冷凍保存袋に入れる。

ポイント
酒をふってから冷凍すると、ニオイを抑えることができる。また、刺身用の魚を冷凍した場合は、電子レンジでの解凍よりも、冷蔵庫での自然解凍がオススメ。加熱してしまうことがなく、安心。

冷凍保存期間 2週間
解凍方法 電子レンジで半解凍、または凍ったまま調理する

塩鮭

風味が落ちにくく、冷凍にぴったりの鮭。そぼろにしておけば、おにぎりやお弁当の具材として重宝する。

焼きそぼろにする

1. 焼いた切り身を冷まし、皮と骨を取り除いて身をほぐす。
2. 使いやすい分量に分けてラップで包み、冷凍保存袋に入れる。

[冷凍保存期間] 3週間
[解凍方法] 電子レンジで解凍する

1切れずつ包む

1. ペーパータオルで水気をふき取り、1切れずつラップで包み、冷凍保存袋に入れる。

ポイント
解凍時に水分が出てしまうので、ペーパータオルなどでしっかりふき取ってから使う。また、凍ったままグリルに入れ、焼いてもOK。

[冷凍保存期間] 2週間
[解凍加熱方法] 電子レンジで半解凍、または凍ったまま調理する

えび

冷凍状態で購入したものは、なるべく早くそのまま冷凍室へ。生で買ったものは、ゆでてから冷凍するとおいしさをキープできる。

殻ごとゆでる

1. 頭と背ワタを取り除き、殻ごとゆでる。

2. 金属バットに並べ、ラップをかけて冷凍する。凍ったら冷凍保存袋に移す。

冷凍保存期間　3週間
解凍方法　電子レンジで解凍する

急速冷凍する

1. 背ワタを取り、金属バットの上に並べ、ラップをかけて冷凍する。凍ったら冷凍保存袋に移す。

ポイント
冷凍状態で買った場合は、溶けないうちに冷凍室に入れる。

冷凍保存期間　2週間
解凍方法　電子レンジで解凍、または流水で袋ごと解凍する

Part 2 食材別 完全冷凍ガイド　魚介類

いか

いかは水分量が少なく、状態が変わりにくいので冷凍向き。ただし、ワタは冷凍できないので、取り除いてから冷凍を。

ハーブ漬けにする

1. 食べやすい大きさに切ったいかと、オリーブオイル・にんにく・塩・こしょう・タイム各適量を冷凍保存袋に入れ、手でよくもんでなじませる。

ポイント
野菜と一緒に炒めたり、パスタの具として使う。

冷凍保存期間 2週間
解凍加熱方法 電子レンジで解凍、または凍ったまま調理する

急速冷凍する

1. 胴は輪切りに、ゲソは2〜3本に分けて切る。

2. 金属バットの上に間隔をあけて並べ、ラップをかけて冷凍する。凍ったら冷凍保存袋に移す。

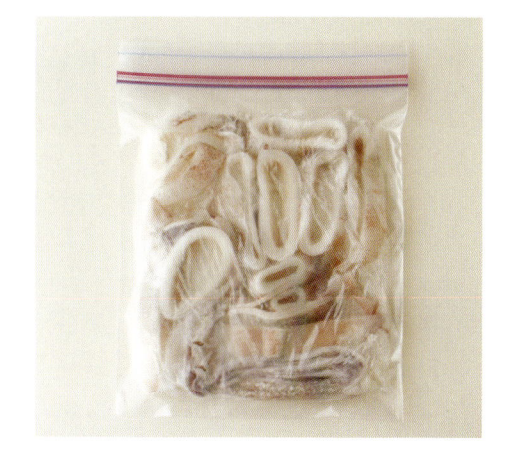

冷凍保存期間 2週間
解凍加熱方法 電子レンジで半解凍、または凍ったまま調理する

たこ

一度に食べきれないことが多いたこ。かたまりのままだと凍りにくく解凍にも時間がかかるので、薄切りにしてから冷凍を。

薄切りにする

1 使いやすい大きさに切り、金属バットの上に広げ、ラップをかけて冷凍する。凍ったら冷凍保存袋に移す。

冷凍保存期間 2週間
解凍方法 電子レンジで解凍、または凍ったまま調理する

Part 2 食材別 完全冷凍ガイド 魚介類

あさり・しじみ・はまぐり

冷蔵保存だと傷みやすい貝類だが、実は殻付きのまま冷凍OK。冷凍前に砂抜きしておくのをお忘れなく。加熱後に冷凍することもできる。

酒蒸しにする

1 フライパンに貝と、酒少々を入れ、フタをして酒蒸しにする。

2 冷凍保存容器に入れ、汁ごと冷凍する。

冷凍保存期間 3週間
解凍加熱方法 電子レンジで解凍加熱する

急速冷凍する

1 砂抜きした貝を、金属バットの上に並べ、ラップをかけて冷凍する。凍ったら冷凍保存袋に入れる。

冷凍保存期間 2週間
解凍加熱方法 凍ったまま調理する

明太子・たらこ

明太子やたらこは、冷凍しても味が落ちにくい食材。余ってしまいそうだと思ったら、すぐに冷凍室へ。

1本ずつ包む

1 1本ずつラップで包み、冷凍保存袋に入れる。

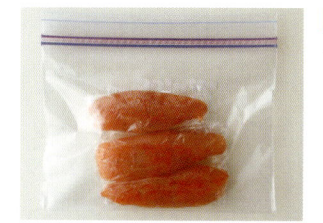

ポイント
半解凍の状態だと形が崩れにくいので扱いやすく、火も通りやすい。

| 冷凍保存期間 | 2週間 |
| 解凍方法 | 電子レンジで半解凍、またはそのまま焼く |

ほたて（貝柱）

生のまま冷凍保存袋に入れて冷凍すると互いにくっついてしまうので、金属バットの上で急速冷凍してから冷凍保存袋へ。必要な分だけ取り出しやすくなる。

急速冷凍する

1 金属バットの上に並べ、ラップをかけて冷凍する。凍ったら冷凍保存袋に入れる。

| 冷凍保存期間 | 2週間 |
| 解凍方法 | 電子レンジで半解凍、または凍ったまま調理する |

1食分ずつ分ける

1 粒がつぶれないようにカップなどで小分けにし、冷凍保存容器に入れて冷凍する。

| 冷凍保存期間 | 2週間 |
| 解凍方法 | 冷蔵室に移して解凍 |

いくら

粒がつぶれやすいいくらは、冷凍保存容器に入れて冷凍室へ。解凍時には加熱しすぎてしまいがちなので、冷蔵室で自然解凍がおすすめ。

Part 2 食材別 完全冷凍ガイド 魚介類・野菜

ちりめんじゃこ

パラパラとした形状なので、めんどうなときは小分けにせずそのまま冷凍保存袋に入れてもOK。

1食分ずつ包む

1 使いやすい分量に分けてラップで包み、冷凍保存袋に入れる。

ポイント
そのまま冷凍保存袋に入れてもパラパラの状態で取り出せる。

- 冷凍保存期間：3週間
- 解凍方法：室温に置く

ちくわ・さつま揚げ

練り物は、使い切れずにパッケージのまま冷凍室に入れがち。1つずつラップに包んでから冷凍しておけば、煮物やおかずのボリュームアップに手軽に使える。

1つずつ包む

1 1つずつラップで包み、冷凍保存袋に入れる。

- 冷凍保存期間：3週間
- 解凍方法：電子レンジで半解凍、または凍ったまま調理する

かまぼこ

冷凍すると食感が変わるので、刻んでから冷凍して。少量ずつ小分けにしておけば、料理に彩りを添えたいときに便利。

1食分ずつ包む

1 板を外して細切りにし、使いやすい分量に分けてラップで包み、冷凍保存袋に入れる。

ポイント
冷凍するとスポンジ状になってしまうので、食感が気にならないよう細かく切って冷凍する。

- 冷凍保存期間：3週間
- 解凍方法：電子レンジで解凍、または凍ったまま調理する

野菜

キャベツ

1玉買っても使いきれないことの多いキャベツも、加熱すれば、おいしいまま冷凍できる。解凍後の調理もラクチン。

炒める

1. ざく切りにして、塩・こしょう各少々でさっと炒める。

2. 使いやすい分量に分けてラップで包み、冷凍保存袋に入れる。

[冷凍保存期間] 1カ月
[解凍加熱方法] 電子レンジで解凍加熱、または凍ったまま調理する

ゆでる

1. さっとゆでて、冷水に取る。水気をしっかり絞る。

ポイント
解凍して煮物やスープに使うときは、かためにゆでておく。

2. 使いやすい分量に分けてラップで包み、冷凍保存袋に入れる。

[冷凍保存期間] 1カ月
[解凍加熱方法] 電子レンジで解凍加熱、または凍ったまま調理する

白菜

使いきれないことが多く、意外に足の早い白菜。さっと炒めるかゆでるかして冷凍すると、炒め物や煮物の具などに重宝する。

炒める

1. ざく切りにして、塩・こしょうでさっと炒める。

2. 冷ましてから使いやすい分量に分けてラップで包み、冷凍保存袋に入れる。

冷凍保存期間 1カ月
解凍加熱方法 電子レンジで解凍加熱、または凍ったまま調理する

レタス

レタスはさっとゆでて冷凍を。カサが減るので保存スペースも取らない。解凍後は凍ったままチャーハンやスープなどに使って。

ゆでる

1. さっとゆでて冷水に取り、水気を絞る。

2. 使いやすい分量に分けてラップで包み、冷凍保存袋に入れる。

冷凍保存期間 1カ月
解凍加熱方法 電子レンジで解凍加熱、または凍ったまま調理する

Part 2 食材別 完全冷凍ガイド

野菜

青菜

ほうれんそう・小松菜・春菊・チンゲンサイなど

基本的に青菜類はゆでてから冷凍したほうがおいしさをキープできる。小松菜は生でも冷凍できるが、1週間で使いきりたい。

ゆでる

1 さっとゆでて冷水に取る。水気を絞り、食べやすい大きさに切る。

2 使いやすい分量に分けてラップで包み、冷凍保存袋に入れる。

冷凍保存期間 1カ月
解凍方法 電子レンジで解凍する

ニラ

風味が落ちにくく冷凍向きだが、ニオイが強いのが難点。必ず密封してから冷凍を。

1食分ずつ包む

1 細かく切ったあと、使いやすい分量に分けてラップで包み、冷凍保存袋に入れる。

ポイント
新鮮なうちに冷凍すれば、長期保存も可能。

冷凍保存期間 3週間
解凍加熱方法 凍ったまま調理する

長ねぎ・万能ねぎ

料理の彩りや薬味としてさまざまな場面で使うねぎ類は、切ってから冷凍を。

1食分ずつ包む

1 小口切りにしたあと、使いやすい分量に分けてラップで包み、冷凍保存袋に入れる。

ポイント
凍ったままのねぎはそのまま薬味として使える。小口切り、斜め切りなどいろいろな形を準備しておくと、使い道が広がる。

冷凍保存期間 3週間
解凍加熱方法 凍ったまま調理する

アスパラガス

冷凍時にくっつきやすいので、金属バットの上で急速冷凍しバラバラにしたあと冷凍保存袋へ。

ゆでる

1. 根元のかたい部分を切り落とし、使いやすい大きさに切ってかために塩ゆでする。

2. 金属バットの上に並べ、ラップをかけて冷凍する。凍ったら冷凍保存袋に移す。

冷凍保存期間 1カ月
解凍加熱方法 電子レンジで解凍加熱、または凍ったまま調理する

ブロッコリー・カリフラワー

ゆでてから冷凍しておくと使いやすい。お弁当に入れるときは、冷凍のままでOK！

ゆでる

1. 小房に分けて、かためにゆでる。冷ましてペーパータオルで水気をふき取る。

2. 金属バットの上に並べ、ラップをかけて冷凍する。凍ったら冷凍保存袋に移す。

冷凍保存期間 1カ月
解凍加熱方法 電子レンジで解凍加熱、または凍ったまま調理する

Part 2 食材別 完全冷凍ガイド

野菜

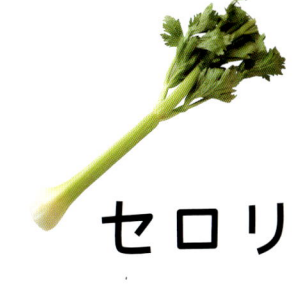

セロリ

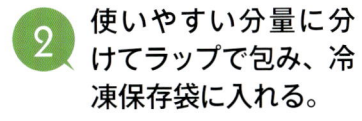

一度にたくさんの量を食べにくく余りがちなセロリは、炒めてから冷凍可能。解凍後はスープや炒め物に使うとよい。

炒める

1. 斜め切りにし、塩・こしょう各少々でさっと炒め、冷ます。 
2. 使いやすい分量に分けてラップで包み、冷凍保存袋に入れる。

[冷凍保存期間] 1カ月
[解凍加熱方法] 電子レンジで解凍加熱、または凍ったまま調理する

トマト

安い時期にはまとめ買いすることもあるトマト。実は丸ごと冷凍OK！ ただ、形はくずれてしまうので、トマトソースやトマト煮に使って。

ざく切りにする

1. 皮を湯むきして冷水に取り、種を取り除いてざく切りにする。 
2. 使いやすい分量に分けてラップで包み、冷凍保存袋に入れる。

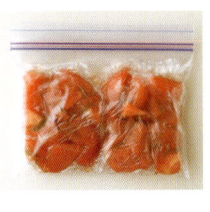

[冷凍保存期間] 3週間
[解凍加熱方法] 凍ったまま調理する

そのまま保存袋に入れる

1. ヘタをくり抜き、冷凍保存袋に入れる。

ポイント
冷凍した状態で水につけると、皮が簡単にむける。凍ったますり下ろせば、あっという間にピューレ状に。

[冷凍保存期間] 3週間
[解凍加熱方法] 凍ったまま調理する

なす

食感が変わらないよう、加熱してから冷凍を。汁物の具や煮物用など使えるシーンが多いので、まとめて作っておくと便利。

Part 2 食材別 完全冷凍ガイド　野菜

素揚げする

1. 使いやすい大きさに切って油で揚げ、冷ます。

2. 使いやすい分量に分けてラップで包み、冷凍保存袋に入れる。

[冷凍保存期間] 1カ月
[解凍加熱方法] 電子レンジで解凍加熱、または凍ったまま調理する

焼く

1. 皮が真っ黒く焦げるまで焼き、皮をはがして冷ます。

2. 1本ずつラップで包み、冷凍保存袋に入れる。

[冷凍保存期間] 1カ月
[解凍方法] 電子レンジで解凍する

きゅうり

食感が命のきゅうり。塩もみしてから冷凍すれば、シャキシャキ感がキープできる。

塩もみする

1 薄切りにして塩もみし、塩を洗い流して水気を絞る。

2 使いやすい分量に分けてラップで包み、冷凍保存袋に入れる。

ポイント
きゅうりは水分が多く、冷凍すると食感が損なわれるため、事前に必ず塩もみを。

[冷凍保存期間] 3週間
[解凍方法] 電子レンジで解凍する

とうもろこし

実だけ外して保存しておくと、いろいろな料理にさっと加えられてラク。

ゆでる

1 ゆでて冷まし、ペーパータオルで水気をふき取る。金属バットの上に並べ、ラップをかけて冷凍する。凍ったら冷凍保存袋に移す。

ポイント
実だけを外してカップに小分けにし、冷凍保存容器に入れて冷凍してもOK。

[冷凍保存期間] 1カ月
[解凍加熱方法] 電子レンジで解凍加熱、または凍ったまま調理する

ズッキーニ

ざく切りにしたあと、かためにゆでて冷凍を。カレーなど煮込み料理にぴったり。

炒める

1 ざく切りにして、塩・こしょう各少々でさっと炒め、冷ます。

2 金属バットの上に並べ、ラップをかけて冷凍する。凍ったら冷凍保存袋に移す。

[冷凍保存期間] 1カ月
[解凍加熱方法] 凍ったまま調理する

かぼちゃ

かぼちゃはゆでてから冷凍すると、解凍したとき水っぽくなってしまうため、電子レンジで加熱したりマッシュしたりしてから冷凍するのがベター。

マッシュにする

1. 種とワタを取り除き、ひと口大に切る。電子レンジで箸が刺さる程度まで加熱し、皮ごとつぶして冷ます。

2. 使いやすい分量に分けてラップで包み、冷凍保存袋に入れる。

冷凍保存期間 1カ月
解凍方法 電子レンジで解凍する

電子レンジで加熱する

1. 種とワタを取り除き、食べやすい大きさに切る。電子レンジで箸が刺さる程度まで加熱する。

2. 冷ましてから金属バットの上に並べ、ラップをかけて冷凍する。凍ったら冷凍保存袋に移す。

冷凍保存期間 1カ月
解凍加熱方法 電子レンジで解凍加熱、または凍ったまま調理する

Part 2 食材別 完全冷凍ガイド　野菜

オクラ

まとめて冷凍しておけば、納豆のトッピングなどに使えて便利。加熱調理の場合は、凍ったまま使ってOK。

ゆでる

1. 塩をこすりつけて、表面の毛を取り除く。さっとゆでて冷水に取り、水気をきる。

2. 金属バットの上に間隔をあけて並べ、ラップをかけて冷凍する。凍ったら冷凍保存袋に移す。

ポイント
半解凍状態だと、ぬめりが出にくく切りやすい。

- 冷凍保存期間：1カ月
- 解凍加熱方法：電子レンジで半解凍、または凍ったまま調理する

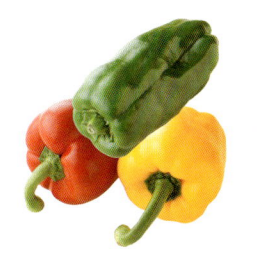

ピーマン・パプリカ

薄く切って、さっと加熱すれば冷凍できる。ただし食感は少し変わるので、彩りを添える程度に使うのが◎。

炒める

1. 輪切りにして、塩・こしょう各少々でさっと炒める。

2. 冷ましてから使いやすい分量に分けてラップで包み、冷凍保存袋に入れる。

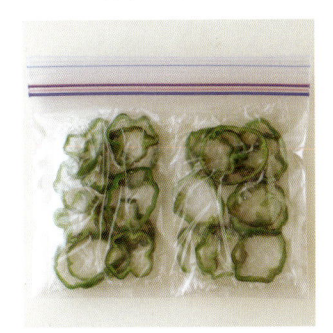

ポイント
ゆでてから冷凍してもOK。ピーマン・パプリカ共に、各色を混ぜて冷凍すれば、料理の彩りとして重宝する。細切りにしてもよい。

- 冷凍保存期間：1カ月
- 解凍加熱方法：凍ったまま調理する

にんじん

にんじんは、下ゆでしてから冷凍すれば、色や風味をキープしたまま保存できる。生の場合は細かく切ってから冷凍を。

ゆでる

1 使いやすい大きさに切って、かためにゆでる。冷ましてからペーパータオルで水気をふき取る。

2 金属バットの上に並べ、ラップをかけて冷凍する。凍ったら冷凍保存袋に移す。

ポイント
細切りにしたり、薄く輪切りにしてからゆでて、冷凍してもよい。

冷凍保存期間 1カ月
解凍加熱方法 電子レンジで解凍加熱、または凍ったまま調理する

細切りにする

1 皮をむき、細切りにする。

ポイント
大きいまま冷凍するとしなびてしまい食感が悪くなるため、細切りにしてから冷凍する。

2 金属バットの上に広げ、ラップをかけて冷凍する。凍ったら冷凍保存袋に移す。

冷凍保存期間 3週間
解凍加熱方法 電子レンジで解凍、または凍ったまま調理する

Part 2 食材別 完全冷凍ガイド 野菜

大根

厚切りで冷凍すると、水分が抜けて食感が損なわれてしまうため、薄切りやせん切りにして冷凍するとよい。おろした状態も便利。

すりおろす

1 すりおろして水分を絞り、冷凍保存袋に入れる。

ポイント
薄く伸ばして凍らせておけば、必要な分だけ折って取り出すことができるので便利。

| 冷凍保存期間 | 3週間 |
| 解凍方法 | 自然解凍する |

ゆでる

1 葉と実を分ける。それぞれさっとゆで、冷ましてからペーパータオルで水気をふき取る。

2 葉と実をそれぞれラップで包み、冷凍保存袋に入れる。

| 冷凍保存期間 | 1カ月 |
| 解凍加熱方法 | 凍ったまま調理する |

ごぼう

ささがきにしたり薄切りにしたりしておくと、食感の変化が気にならず、さらに調理の手間も省けるのでオススメ。

ゆでる

1 薄く切って、かためにゆでる。冷ましてからペーパータオルで水気をふき取る。

2 金属バットの上に広げ、ラップをかけて冷凍する。凍ったら冷凍保存袋に移す。

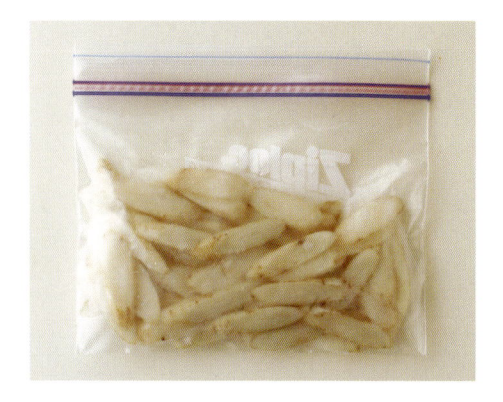

冷凍保存期間 1カ月
解凍加熱方法 電子レンジで解凍加熱、または凍ったまま調理する

ささがきにする

1 ささがきにし、酢水にさらしてアクを抜く。流水で洗ったあと、ペーパータオルで水気をふき取る。

2 使いやすい分量に分けてラップで包み、冷凍保存袋に入れる。

冷凍保存期間 3週間
解凍加熱方法 電子レンジで解凍、または凍ったまま調理する

Part 2 食材別 完全冷凍ガイド 野菜

玉ねぎ

冷凍すると細胞が壊れ、解凍したときにやわらかくなるので、うまみがたっぷり引き出せる。カレーの具にもぴったり。

みじん切りにする

1 みじん切りにし、使いやすい分量に分けてラップで包み、冷凍保存袋に入れる。

ポイント
みじん切りの状態で冷凍すると細胞が壊れるため、凍ったまま炒めれば短時間で炒め玉ねぎに。

- 冷凍保存期間：3週間
- 解凍加熱方法：電子レンジで解凍、または凍ったまま調理する

炒める

1 薄切りにして、さっと炒める。

2 使いやすい分量に分けてラップで包み、冷凍保存袋に入れる。

- 冷凍保存期間：1カ月
- 解凍加熱方法：電子レンジで解凍加熱、または凍ったまま調理する

じゃがいも

冷凍すると食感が変わるので、マッシュにして冷凍が基本。カレーなどじゃがいもが入った料理を冷凍するときも、取り出してマッシュに。

マッシュにする

1 ゆでるか電子レンジで加熱し、皮をむく。つぶして冷まし、使いやすい分量に分けてラップで包み、冷凍保存袋に入れる。

ポイント
マッシュにしたあと、冷めるのを待ってからラップで包む。

- 冷凍保存期間：1カ月
- 解凍方法：電子レンジで解凍する

さつまいも

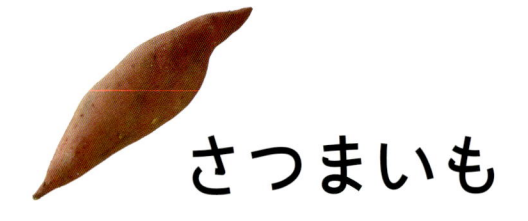

食物繊維が多いので、生のままでの冷凍はNG。マッシュにすれば、スイートポテトはもちろん、離乳食などにも幅広く使える。

マッシュにする

1 電子レンジで箸が刺さる程度まで加熱し、つぶして冷ます。使いやすい分量に分けてラップで包み、冷凍保存袋に入れる。

| 冷凍保存期間 | 1カ月 |
| 解凍方法 | 電子レンジで解凍する |

電子レンジで加熱する

1 電子レンジで箸が刺さる程度まで加熱し、冷まして輪切りにする。

2 金属バットの上に並べ、ラップをかけて冷凍する。凍ったら冷凍保存袋に移す。

| 冷凍保存期間 | 1カ月 |
| 解凍加熱方法 | 電子レンジで解凍加熱、または凍ったまま調理する |

すりおろす

1 すりおろし、使いやすい分量に分けてラップで茶巾の状態に包み、冷凍保存袋に入れる。

ポイント
大根おろしと同様に、平らにした状態で冷凍保存袋に入れてもOK。→P.63

| 冷凍保存期間 | 3週間 |
| 解凍方法 | 自然解凍する |

大和いも・長いも

すりおろしてから保存すると便利。解凍時に温めすぎると固まってしまうので、自然解凍がベター。

Part 2 食材別 完全冷凍ガイド　野菜

れんこん

シャキシャキの食感が魅力のれんこん。薄く切ってアク抜きした状態なら、生のままでも食感をキープできる。

ゆでる

1. 皮をむいて5mm～1cm程度の厚さに切り、酢水にさらす。酢を少量入れた湯でかためにゆでて、冷水に取って冷ます。

2. ペーパータオルで水気をふき取り、金属バットの上に間隔をあけて並べ、ラップをかけて冷凍する。凍ったら冷凍保存袋に移す。

冷凍保存期間　1カ月
解凍加熱方法　電子レンジで解凍加熱、または凍ったまま調理する

タケノコ

一般的に冷凍が難しいとされるタケノコ。そのまま冷凍すると、すが立ってしまうので、砂糖をまぶすひと手間を忘れずに。

砂糖をもみ込む

1. 使いやすい大きさに切り、ゆでてアクを抜く。冷ましてからペーパータオルで水気をふき取り、表面に砂糖少々をもみ込む。

2. 使いやすい分量に分けてラップで包み、冷凍保存袋に入れる。

冷凍保存期間　3週間
解凍加熱方法　電子レンジで解凍、または凍ったまま調理する

きのこ類

きのこ類は冷凍しても風味が落ちにくい冷凍向きの食材。水気がついている場合はペーパータオルで水気をふき取るのが、おいしく保存するポイント。

しょうゆで下味

1 しんなりするまで炒め、しょうゆ・みりん・砂糖各少々で味付けする。

ポイント
塩・こしょうで炒めてもOK。

2 冷ましてから使いやすい分量に分けてラップで包み、冷凍保存袋に入れる。

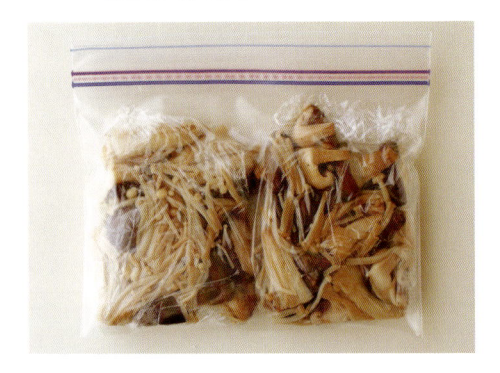

冷凍保存期間 1カ月
解凍加熱方法 電子レンジで解凍加熱、または凍ったまま調理する

そのまま保存袋に入れる

1 石づきを落とし、使いやすい大きさに切るか小房に分け、冷凍保存袋に入れる。

ポイント
きのこ類は何種類かまとめて使うことが多いので、あらかじめ混ぜて冷凍しておくと便利。

冷凍保存期間 3週間
解凍加熱方法 電子レンジで解凍、または凍ったまま調理する

Part 2 食材別 完全冷凍ガイド　野菜

なめこ

なめこは、買ってきたらまずパッケージごと冷凍保存袋に入れて冷凍室へ。

そのまま保存袋に入れる

1. 未開封のパッケージのまま冷凍保存袋に入れる。

冷凍保存期間 3週間
解凍方法 電子レンジで解凍する

いんげん・さやえんどう

料理の彩りに便利な2つ。ゆでてから冷凍すれば、歯触りをキープできる。

ゆでる

1. かために塩ゆでする。冷水に取って冷まし、ペーパータオルで水気をふき取る。

   ポイント
   使いやすいよう、ぶつ切りにしてからゆでて、冷凍してもよい。

2. 金属バットの上に広げ、ラップをかけて冷凍する。凍ったら冷凍保存袋に移す。

冷凍保存期間 1カ月
解凍加熱方法 電子レンジで解凍加熱、または凍ったまま調理する

もやし

足がはやいもやしの保存には、ぜひ冷凍を。冷凍後はスープなどに使って。

ゆでる

1. さっとかためにゆで、冷水に取って冷まし、水気を絞る。

2. 使いやすい分量に分けてラップで包み、冷凍保存袋に入れる。

冷凍保存期間 1カ月
解凍加熱方法 電子レンジで解凍加熱、または凍ったまま調理する

にんにく

1回で使いきることが難しいにんにくは、刻んでから1食分ずつ小分けにしておけば、冷凍したまま使えてムダもない。

1食分ずつ包む

1 みじん切りにし、使いやすい分量に分けてラップで包み、冷凍保存袋に入れる。

ポイント
細かく切らずに、1かけずつ分けて冷凍してもOK。

冷凍保存期間 3週間
解凍加熱方法 電子レンジで解凍加熱、または凍ったまま調理する

枝豆・空豆・グリンピース

冷凍食材として市販されている冷凍空豆やグリンピースを家庭で手作り。かためにゆでるのがコツ。

ゆでる

1 かために塩ゆでする。冷水に取って、金属バットなどに広げて冷まし、ペーパータオルで水気をふき取る。

2 金属バットの上に広げ、ラップをかけて冷凍する。凍ったら冷凍保存袋に移す。

冷凍保存期間 1カ月
解凍加熱方法 電子レンジで解凍加熱、または凍ったまま調理する

Part 2 食材別 完全冷凍ガイド

野菜

みつば

冷凍するとしんなりした食感に。おひたしにするとおいしく食べられる。

そのまま保存容器に入れる

1. 使いやすい長さに切り、そのまま冷凍保存容器に入れる。

冷凍保存期間 3週間
解凍方法 凍ったまま使う

みょうが

薬味によく使うみょうが。輪切り、せん切りなどいろいろな切り方でストックしておくと、料理に合わせて使い分けられる。

1食分ずつ包む

1. 使いやすい大きさに切り、使いやすい分量に分けてラップで包み、冷凍保存袋に入れる。

冷凍保存期間 3週間
解凍方法 凍ったまま使う

青じそ

青じそを冷凍すると、凍ってパリパリに。そのまま砕けば、ちょっとした風味づけや薬味として使うことができる。

1枚ずつ包む

1. 使いやすい枚数に分けてラップで包み、冷凍保存袋に入れる。

冷凍保存期間 3週間
解凍方法 凍ったまま使う

パセリ

料理の仕上げなど少量ずつしか使わず余りがちなパセリは、冷凍保存を。凍ったまま手でもめば、刻む手間もカットできる。

そのまま保存袋に入れる

1. ペーパータオルで水気をふき取り、冷凍保存袋に入れる。

ポイント
凍った状態のパセリを袋の上からもむと、みじん切りにしたような細かい状態になる。

冷凍保存期間　3週間
解凍方法　凍ったまま使う

しょうが

刻んだりすりおろしたりして使うことが多いので、冷凍前にあらかじめ下処理しておくとよい。

1食分ずつ包む

1. みじん切りにし、使いやすい分量に分けてラップで包み、冷凍保存袋に入れる。

ポイント
すりおろした状態で小分けにし、冷凍してもOK。

冷凍保存期間　3週間
解凍方法　凍ったまま使う

1食分ずつ包む

1. 使いやすい枚数に分けてラップで包み、冷凍保存袋に入れる。

冷凍保存期間　3週間
解凍方法　凍ったまま使う

タイム・バジル・ローズマリー

買っても使いきれないうえ、頻繁には使わないハーブ。冷凍しておけば、少量ずつでもムダなく使いきれる。

Part 2 食材別 完全冷凍ガイド　野菜

ミント

冷凍すると色はくすむが、香りは保てる。そのまま冷凍する場合は、ペーパータオルで水気をふき取ってから小分けにして冷凍保存袋に。

氷漬けにする

1 製氷皿に、水と一緒に入れる。

ポイント
氷のまま紅茶などの飲み物に入れれば、ほんのりミント風味に。

冷凍保存期間 3週間
解凍方法 氷の状態で使う

こんにゃく・しらたき

こんにゃくは冷凍すると食感が変わり、高野豆腐のようなスポンジ状の〝凍みこんにゃく〟になる。

そのまま保存袋に入れる

1 未開封のパッケージのまま冷凍保存袋に入れる。

ポイント
冷凍すると味が染み込ませやすくなる。煮物に使って、だしをたっぷりと含ませるのがオススメ。

冷凍保存期間 3週間
解凍加熱方法 電子レンジで解凍、または凍ったまま調理する

切り干し大根・ひじき

切り干し大根やひじきはまとめて水で戻してから冷凍しておけば、手間が省けて料理のスピードUP。

水で戻す

1 水で戻してから、水気を軽く絞って冷凍保存袋に入れる。

冷凍保存期間 3週間
解凍加熱方法 電子レンジで解凍、または凍ったまま調理する

大豆製品

Part 2 食材別 完全冷凍ガイド　大豆製品

油揚げ

使いやすい大きさに切っておけば、パラパラになった状態で取り出せ、みそ汁にさっと加えられて便利。1枚で冷凍しても◎。

急速冷凍する

1 使いやすい大きさに切り、金属バットの上に広げ、ラップをかけて冷凍する。凍ったら冷凍保存袋に移す。

ポイント
1枚ずつラップで包み、冷凍保存袋に入れてもOK。三角に切っておけば、そのままうどんなどの具に使える。

冷凍保存期間 1カ月
解凍加熱方法 凍ったまま調理する

豆腐

冷凍すると水分が抜け、高野豆腐のような食感に変わる。解凍後、水分を絞ってから煮物に使うとよい。

そのまま保存袋に入れる

1 未開封のパッケージのまま冷凍保存袋に入れる。解凍したあと、水を捨てて使う。

ポイント
冷凍するとスポンジ状になり味が染み込みやすくなるので、煮物の具材にぴったり。

冷凍保存期間 2〜3週間
解凍方法 耐熱性の皿に移し、電子レンジで解凍する

74

厚揚げ

傷みやすいので、冷蔵よりもぜひ冷凍を。豆腐と同様食感は変わるが、味を染み込ませやすくなるので、焼くよりも煮物に。

1枚ずつ包む

1 熱湯をかけて油抜きをしてから1枚ずつラップで包み、冷凍保存袋に入れる。

ポイント
使いやすい大きさに切ってからラップで包み、冷凍してもOK。

冷凍保存期間 2～3週間
解凍方法 電子レンジで解凍する

おから

傷みやすいおからは、冷凍保存が必須。炒り煮など、調理してから冷凍しておくのもオススメ。

1食分ずつ包む

1 使いやすい分量に分けてラップで包み、冷凍保存袋に入れる。

ポイント
冷蔵だと2～3日しかもたないが、冷凍すれば1カ月ほど保存することができる。

冷凍保存期間 1カ月
解凍方法 電子レンジで解凍する

納豆

冷凍しても、風味も粘りも変わらない。たくさん購入したら、とりあえず冷凍室へ。パッケージごと冷凍することができる。

そのまま保存袋に入れる

1 未開封のパッケージのまま冷凍保存袋に入れる。

ポイント
開封してしょうゆなどで味を付け、使いやすい分量に分けてラップで包み、冷凍保存袋に入れてもOK。

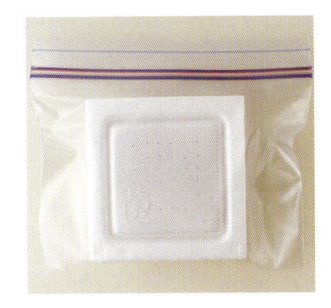

冷凍保存期間 1カ月
解凍方法 耐熱容器に移し、電子レンジで解凍する

果物

キウイ

水分が多いので、半解凍の状態で食べるのがオススメ。砂糖をまぶしてから冷凍すれば、シャーベット感覚のデザートになる。

急速冷凍する

1 皮をむいて輪切りにし、金属バットの上に間隔をあけて並べ、ラップをかけて冷凍する。凍ったら冷凍保存袋に移す。

冷凍保存期間 2～3週間
解凍方法 凍ったまま使う

いちご

砂糖をまぶして冷凍すると水っぽくなりにくい。ジャムやソースにすれば食感の変化も気にならないのでオススメ。

急速冷凍する

1 ヘタを取って金属バットの上に間隔をあけて並べ、ラップをかけて冷凍する。凍ったら冷凍保存袋に移す。

ポイント
砂糖やシロップなどをまぶしてから冷凍すると、風味と色を保ちやすい。

冷凍保存期間 2～3週間
解凍方法 凍ったまま使う

Part 2 食材別 完全冷凍ガイド　果物

オレンジ・グレープフルーツ

みかん（P.78）と同じように、丸ごと冷凍保存袋に入れて冷凍してもOK。凍ったまま、もしくは半解凍の状態で食べる。

急速冷凍する

1. 薄皮までむき、使いやすい大きさに切り、金属バットの上に間隔をあけて並べ、ラップをかけて冷凍する。凍ったら冷凍保存袋に移す。

冷凍保存期間 2〜3週間
解凍方法 凍ったまま使う

パイナップル

凍ったままで食べると、シャリシャリした食感が楽しめる。冷凍前に、食べやすい大きさにカットしておいても便利。

急速冷凍する

1. 使いやすい大きさに切り、金属バットの上に間隔をあけて並べ、ラップをかけて冷凍する。凍ったら冷凍保存袋に移す。

冷凍保存期間 2〜3週間
解凍方法 凍ったまま使う

メロン・すいか

水分が多いので、凍ったまま食べて。シロップと一緒にミキサーにかけ、フレッシュジュースにしても◎。

急速冷凍する

1. 種と皮を取り除き、使いやすい大きさに切る。金属バットの上に間隔をあけて並べ、ラップをかけて冷凍する。凍ったら冷凍保存袋に移す。

ポイント
水分が多いため、解凍すると食感がかなり変わってしまう。凍ったままで使うのがベター。

冷凍保存期間 2〜3週間
解凍方法 凍ったまま使う

Part 2 食材別 完全冷凍ガイド　果物

みかん

たくさん手に入ることが多いみかん。常温で食べるのに飽きてしまったら、冷凍みかんにして楽しんで。

そのまま保存袋に入れる

1. 丸ごと冷凍室に入れ、2時間ほど凍らせる。冷水をかけて氷の膜を作り、冷凍保存袋に入れる。

冷凍保存期間　2〜3週間
解凍方法　凍ったまま使う

かき

かきは丸ごと冷凍OK。完全に解凍するとやわらかくなるが、半解凍ならシャーベット状の食感に。

そのまま保存袋に入れる

1. 丸ごと冷凍保存袋に入れる。

ポイント
凍った状態のままヘタの部分を切って蓋のように開け、スプーンでくりぬいて食べるとかわいいデザートに。

冷凍保存期間　2〜3週間
解凍方法　凍ったまま使う

バナナ

1本ずつ包む

1. 皮をむき、1本ずつラップで包み、冷凍保存袋に入れる。

ポイント
輪切りにしたり、ミキサーに入れやすいよう小さく切って冷凍してもOK。

冷凍保存期間　2〜3週間
解凍方法　凍ったまま使う

解凍すると変色し、やわらかくなってしまうため、凍った状態で使って。そのまま食べても、ホットケーキに混ぜてバナナケーキにしてもよい。

りんご

水分が多いりんごは、解凍すると水っぽくなってしまう。冷凍前にすりおろすか、薄く切って加熱しておくとよい。

甘煮にする

1. 砂糖適量を加えて甘煮にし、仕上げにレモン汁少々を加える。
2. 冷ましてから冷凍保存袋に入れる。

ポイント
アップルパイの具などに使うとよい。解凍して、そのままアイスクリームやホットケーキに添えても◎。

冷凍保存期間 1カ月
解凍方法 電子レンジで解凍する。ホットソースにして使いたいときは、解凍加熱する

すりおろす

1. 皮をむき、すりおろす。変色を防ぐためレモン汁少々を加え混ぜて、汁ごと冷凍保存袋に入れる。

ポイント
カレーの隠し味に使えば、まろやかな風味に。凍ったまま加えてOK。

冷凍保存期間 2〜3週間
解凍方法 電子レンジで解凍、または使う分だけ折って凍ったまま使う

Part 2 食材別 完全冷凍ガイド 果物

アボカド

アボカドは、レモン汁をかけておけば変色を防ぐことができる。ピューレにしてから冷凍して、サラダに使うのもオススメ。

1食分ずつ包む

1. 皮と種を取り除き、使いやすい大きさに切ってレモン汁少々をかける。
2. 使いやすい分量に分けてラップで包み、冷凍保存袋に入れる。

冷凍保存期間 2〜3週間
解凍方法 凍ったまま使う

なし

冷凍すると食感が変わってしまうため、半解凍の状態で食べるのがベター。食感が気にならないよう、コンポートにするとよい。

そのまま保存袋に入れる

1. ラップで包み、冷凍保存袋に入れる。

冷凍保存期間 2〜3週間
解凍方法 電子レンジで解凍する

ぶどう

急速冷凍する

1. 実を1粒ずつ外し、皮を付けたまま金属バットの上に並べ、ラップをかけて冷凍する。凍ったら冷凍保存袋に移す。

ポイント
凍った状態で水をかけると、皮が簡単にむける。

冷凍保存期間 2〜3週間
解凍方法 凍ったまま使う

洗ったあと、水気をしっかりふいてから冷凍する。凍らせたあと、皮をむいた状態でお皿に盛れば冷たいデザートに。

80

レモン

輪切りで冷凍しておけば、レモンティーに浮かべたり料理の風味づけに使ったりと、いろいろな場面で大活躍する。

はちみつ漬けにする

① 輪切りにしたレモンにはちみつ適量をまぶし、冷凍保存容器に入れる。

[冷凍保存期間] 2〜3週間
[解凍方法] 凍ったまま使う

そのまま保存袋に入れる

① 輪切りにし、重ならないように冷凍保存袋に入れる。

ポイント
果汁のみ保存したい場合は、果汁を製氷機に入れて冷凍する（P.85「だし」と同じ方法）。

[冷凍保存期間] 2〜3週間
[解凍方法] 凍ったまま使う

そのまま保存袋に入れる

① 丸ごと冷凍保存袋に入れる

ポイント
冷凍したままで、表面を包丁で削れば、皮だけ使うことができる。

[冷凍保存期間] 2〜3週間
[解凍方法] 自然解凍する

すだち・ゆず

香りづけに活躍する、すだち・ゆず。皮だけを細かく切って冷凍しても便利。絞り汁は製氷皿に入れれば簡単に小分け冷凍できる。

Part 2 食材別 完全冷凍ガイド　果物・卵・乳製品

栗

水分が少ない栗は、冷凍保存向きの食材。冷凍する前に熱湯でゆでておくと、衛生面でも安心。

そのまま保存袋に入れる

1. 殻付きのまま、もしくは殻をむいて冷凍保存袋に入れる。

冷凍保存期間　1カ月
解凍方法　凍ったまま使う

ラズベリー・ブルーベリー

冷凍のままジャム作りに使うのがオススメ。ヨーグルトに入れたりマフィンに入れたりしてもよい。

急速冷凍する

1. 金属バットの上に広げ、ラップをかけて冷凍する。凍ったら冷凍保存袋に移す。

冷凍保存期間　2〜3週間
解凍方法　電子レンジで解凍する

ナッツ

そのまま保存袋に入れる

1. そのまま冷凍保存袋に入れる。

冷凍保存期間　1カ月
解凍方法　凍ったまま使う

開封したままで置いておくと湿気を吸ってしまうので、早めに冷凍を。室温に戻るのが早いので、すぐ食べられる。

82

卵・乳製品

卵

卵黄は食感が変わってしまうため、基本的に冷凍保存は NG。卵白だけ冷凍しておけば、お菓子作りのメレンゲなどに使える。

薄焼き卵にする

1. 薄焼き卵を作る。冷ましてから使いやすい分量に分けてラップで包み、冷凍保存袋に入れる。

ポイント
巻いた状態にすれば、スペースをとらずコンパクトに冷凍できる。

冷凍保存期間 2週間
解凍方法 電子レンジで解凍する

卵白のみを包む

1. 使いやすい分量ずつラップで茶巾の状態に包み、冷凍保存袋に入れる。

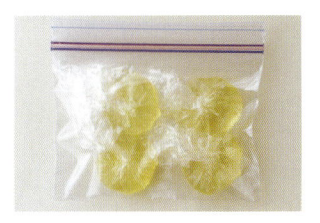

冷凍保存期間 1カ月
解凍方法 電子レンジで解凍する。少量なら自然解凍がオススメ

ヨーグルト

解凍すると元通りの食感になるが、半解凍の状態で食べてもシャーベット状の食感を楽しめる。

そのまま保存袋に入れる

1. 加糖タイプのものは、未開封のパッケージのまま冷凍保存袋に入れる。

ポイント
無糖のプレーンヨーグルトは、冷凍すると分離してしまうため、砂糖かジャムを混ぜてから冷凍保存容器に入れる。

冷凍保存期間 1カ月
解凍方法 電子レンジで解凍する

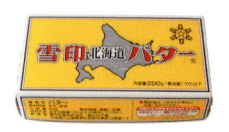

バター

1回に使う分量に切って冷凍しておけば、すぐ取り出せて便利。解凍もスピーディー。

1個ずつ包む

1 使いやすい大きさに切って1つずつラップで包み、冷凍保存袋に入れる。

冷凍保存期間　1カ月
解凍方法　凍ったまま使う

チーズ

水分が少なく食感の変わりにくい、ピザ用チーズやハードタイプが冷凍向き。

1食分ずつ包む

1 使いやすい分量に分けてラップで包み、冷凍保存袋に入れる。

ポイント
やわらかい白カビタイプやプロセスチーズも冷凍できるが、食感は変化してしまう。

冷凍保存期間　1カ月
解凍方法　凍ったまま使う

生クリーム

ホイップして1食分ずつ包む

1 砂糖適量を加えてホイップしてから、使いやすい分量ずつラップで茶巾の状態に包み、冷凍保存容器に入れる。

ポイント
少量余った場合は、金属バットの上にひと口サイズに絞り出して冷凍を。凍ったままコーヒーなどに入れることができる。

生クリームはそのままの状態で冷凍すると分離してしまうため、ホイップしてから冷凍する。

冷凍保存期間　1カ月
解凍方法　電子レンジで解凍する

Part 2　食材別　完全冷凍ガイド

卵・乳製品・調味料・飲み物・甘い物

調味料・飲み物・甘い物

だし

料理の度にだしをとるのは手間。たくさん作り製氷器を使ってアイスキューブにしておけば、必要な分だけいつでも使えて、料理のおいしさもUP！

アイスキューブにする

1 製氷皿で凍らせる。

ポイント
凍っただしは、製氷皿から取り出し冷凍保存袋に入れておけば、場所をとらない。

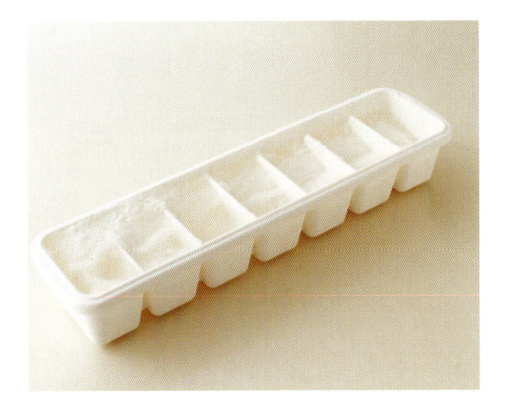

冷凍保存期間	2週間
解凍方法	凍ったまま使う

スパイス

常温や冷蔵で保存するよりも、冷凍で保存した方が湿けにくいので、風味の持ちがよくなる。開封したあとも、冷凍すれば風味をより長く保つことができる。

そのまま保存袋に入れる

1 パッケージのまま、冷凍保存袋に入れる。

ポイント
他の食材や冷凍室に香りが移らないよう、必ず密封して保存する。

冷凍保存期間	スパイスの賞味期限による
解凍方法	凍ったまま使う

Part 2 食材別 完全冷凍ガイド　調味料・飲み物・甘い物

開封後の桃・みかん缶

シロップのまま冷凍すれば、しっとりした状態をキープできる。半解凍の状態は、シャリシャリの食感でおいしい。

冷凍保存容器に入れる

1. シロップごと冷凍保存容器に入れる。

冷凍保存期間　1カ月
解凍方法　凍ったまま使う

お茶の葉・コーヒー豆

開封前なら、缶ごと冷凍してもOK。開封後のものは、他の食材に香りが移らないようしっかり密封してから冷凍を。

そのまま保存袋に入れる

1. パッケージの口をしっかり閉じて、冷凍保存袋に入れる。

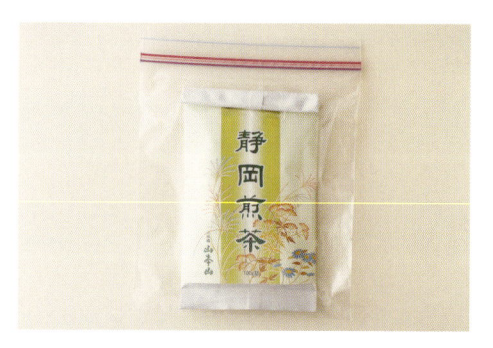

冷凍保存期間　1カ月
解凍方法　冷凍室から出してすぐ使える

ジャム・はちみつ・メープルシロップ

ビンのままだと割れてしまうことがあるので、1回で使う分量ずつ小分けにして、冷凍しておくとよい。

1食分ずつ包む

1. ジャムは使いやすい分量に分けてラップで包み、冷凍保存袋に入れる。

ポイント
冷蔵庫に入れると固まってしまうはちみつは、冷凍すると固まらない。また、はちみつなど液状のものは、生クリームと同じようにラップで茶巾の状態に包んでから冷凍保存袋に入れる。→ P.84

冷凍保存期間　1カ月
解凍方法　冷凍室から出してすぐ使える。ジャムは電子レンジで解凍する

86

あんこ

なかなか一度には使いきれないあんこ。凍らせた状態でお湯に溶かせば、即席のおしるこに早変わり。

1食分ずつ包む

1 使いやすい分量に分けてラップで包み、冷凍保存袋に入れる。

[冷凍保存期間] 1カ月
[解凍加熱方法] 電子レンジで解凍、または凍ったまま使う

クッキー

湿気を吸ってしまうのを防ぐため、開封したらすぐに冷凍を。食べる前にオーブントースターで加熱すればサクサクに。

そのまま保存袋に入れる

1 そのまま冷凍保存袋に入れる。

[冷凍保存期間] 1カ月
[解凍加熱方法] 自然解凍、またはオーブントースターで解凍加熱する

和菓子・ケーキ

形が崩れないよう、深めの容器に入れる。また、いちごなど冷凍によって食感が変わるフルーツが使われていないか注意して。

1つずつ包む

1 1つずつラップで包み、冷凍保存容器に入れる。

ポイント 冷凍保存容器を上下逆に使うと、扱いやすく取り出しやすい。

[冷凍保存期間] 2週間
[解凍方法] 電子レンジで半解凍、または冷蔵室で自然解凍する

冷凍NG食材

たいていの食材は工夫次第でおいしく冷凍できるが、中には難しいものもあるので、うっかり冷凍しないよう覚えておきたい。

山菜

生のままでも、加熱しても冷凍NG。筋っぽい食感になり、おいしく食べられない。

卵（卵黄）

ボソボソの食感になるため、生ではもちろん、加熱しても冷凍できない。

みりん

冷凍すると糖分が固まってしまうため、常温で保存を。

マヨネーズ

卵と油が分離するためNG。他の食材と混ぜれば大丈夫な場合も。

ビール・炭酸飲料

缶入りでもビン入りでも、炭酸が膨張して破裂するため冷凍NG。

油類

冷凍すると油分が固まってしまうため、常温で保存がベター。

Part 2 食材別 完全冷凍ガイド　冷凍NG食材

Part 3

冷凍食材でスピードレシピ

ここからは、冷凍ストックを使って10分以下で作れるレシピをご紹介。下処理を済ませた冷凍食材を使えば、時間をかけずにおいしく仕上がります。家族の「おなかがすいた！」の声にもすぐに応えられますよ。

牛豚ミックス丼

Part 3 冷凍食材でスピードレシピ 主食

調理時間 約8分

人気メニューの牛丼と豚丼、2つを混ぜたら新しい味に。
「牛肉も豚肉もちょっとずつしかない」というときにも
ミックスすれば立派な1品が完成します。
万能ねぎと紅しょうがが彩り&味のアクセントに。

材料（2人分）

- 冷凍 ごはん ⓐ……丼2杯分
- 冷凍 牛薄切り肉 ⓑ……80g
- 冷凍 豚薄切り肉 ⓒ……80g
- 冷凍 炒め玉ねぎ（薄切り）ⓓ……1/4個分（30g）
- 冷凍 万能ねぎ（小口切り）ⓔ……少量
- 紅しょうが……少量
- Ⓐ
  - しょうゆ……大さじ1
  - みりん……大さじ1
  - 酒……大さじ1
  - 砂糖……大さじ1/2
- サラダ油……少量

ⓐ→P.26 　ⓑ→P.34 　ⓒ→P.30 　ⓓ→P.65 　ⓔ→P.55

作り方

1 牛肉と豚肉を切る
冷凍牛薄切り肉と冷凍豚薄切り肉は1枚ずつ取り出し、食べやすい大きさに切る。

2 具を作る
フライパンにサラダ油を熱し、冷凍炒め玉ねぎを炒めて解凍する。❶を加え炒め、Ⓐを煮からめる。

3 丼に盛りつける
冷凍ごはんを電子レンジで加熱し、丼に盛る。❷をのせ、冷凍万能ねぎをふり、紅しょうがをのせる。

田舎風煮込みうどん

Part 3 冷凍食材でスピードレシピ

主食

調理時間 約8分

懐かしい味わいの煮込みうどんは、夜食にもぴったり。
具だくさんにすると手間がかかりますが、
冷凍ストックを使えば短時間で手軽に作れます。
冷凍もちは凍ったままオーブントースターで焼いてOK。

材料（2人分）

- 冷凍 ゆでうどん ⓐ……2玉
- 冷凍 鶏モモ肉 ⓑ……1/2枚分（150g）
- 冷凍 かまぼこ（細切り）ⓒ……60g
- 冷凍 炒め白菜（ざく切り）ⓓ……100g
- 冷凍 油揚げ ⓔ……1/2枚分（10g）
- 冷凍 きのこミックス ⓕ……50g
  （しめじ：小房分け、エリンギ：長さ半分で4つ割り）
- 冷凍 長ねぎ（斜め切り）ⓖ……4枚
- 冷凍 もち ⓗ……2切れ
- A ┃ めんつゆ（2倍濃縮）……3/4カップ
    ┃ 水……2と1/4カップ
    ┃ 七味唐辛子（好みで）……少量

ⓐ→P.28　ⓑ→P.38　ⓒ→P.52
ⓓ→P.54　ⓔ→P.74　ⓕ→P.68
ⓖ→P.55　ⓗ→P.27

作り方

1　具の下準備をする

冷凍油揚げは冷凍室から出し、自然解凍する。冷凍鶏モモ肉は電子レンジで半解凍し、2～3cm角に切る。解凍した油揚げを食べやすい三角形に切る。冷凍もちは凍ったままトースターで焼く。

2　具入りのつゆを作る

鍋にⒶを合わせて沸騰させ、❶の鶏モモ肉と油揚げ、冷凍かまぼこ、冷凍炒め白菜、冷凍きのこミックス、冷凍長ねぎを加えて、鶏モモ肉に火が通るまで煮る。

3　うどんを煮る

❷に冷凍ゆでうどんを加え、完全に溶けたらほぐす。

4　器に盛りつける

❸を丼に盛りつけ、❶のもちをのせる。好みで七味唐辛子をふる。

あさりとひじきの潮騒パスタ

Part 3 冷凍食材でスピードレシピ

主食

調理時間 約5分

あさりのパスタにひじきを加えれば、海の香りが一層豊かに。
食物繊維やミネラルなど、栄養バランスもアップします。
調味料以外はすべて冷凍食材を使用。
にんにくや赤唐辛子の量は好みで調整しましょう。

材料（2人分）

- 冷凍 ゆでスパゲティ ⓐ……200g
- 冷凍 殻付きあさり ⓑ……230g
- 冷凍 ゆでブロッコリー ⓒ……4房分
- 冷凍 炒め玉ねぎ（薄切り） ⓓ……1/4個分（30g）
- 冷凍 ひじき ⓔ……大さじ4（30g）
- 冷凍 にんにく（みじん切り） ⓕ……1かけ分（7g）
- Ⓐ
  - しょうゆ……小さじ2
  - 塩、こしょう……各少量
  - 赤唐辛子（輪切り）……1本分
  - 白ワイン……大さじ1
  - オリーブオイル……大さじ1

ⓐ→P.29
ⓑ→P.50
ⓒ→P.56
ⓓ→P.65
ⓔ→P.73
ⓕ→P.70

作り方

1 ブロッコリーを刻む
冷凍ゆでブロッコリーは電子レンジで半解凍して、1〜2cm角に刻む。

2 スパゲティを解凍する
冷凍ゆでスパゲティは電子レンジで加熱する。

3 具を炒める
フライパンにオリーブオイルを熱し、冷凍にんにく、冷凍炒め玉ねぎ、冷凍殻付きあさりを入れて、白ワインを加え、蓋をして蒸し煮にする。あさりの殻が開いたら、❶、冷凍ひじき、赤唐辛子を加え、炒め合わせる。

4 具とスパゲティを合わせる
❸に❷を加えてからめ、Ⓐで味をととのえる。

華やかちらし寿司

Part 3 冷凍食材でスピードレシピ

主食

調理時間 約8分
（いくらの解凍時間含まず）

お祝いの日にぴったりのちらし寿司も、
冷凍食材を使えばスピーディー。急な来客にもおすすめです。
いくらとえびのオレンジ、錦糸卵のイエロー、
枝豆のグリーンのバランスを見ながら盛りつけて。

材料（2人分）

- 冷凍 ごはん ⓐ……茶わん2杯分
- 冷凍 ゆでえび ⓑ……6尾
- 冷凍 ゆで枝豆 ⓒ……1カップ分（95g）
- 冷凍 ゆでにんじん（細切り）ⓓ……1/4本分（45g）
- 冷凍 薄焼き卵 ⓔ……卵1個分（50g）
- 冷凍 いくら ⓕ……大さじ2（30g）
- すし酢（市販品）……大さじ2
- 白いりごま……大さじ1

ⓐ→P.26
ⓑ→P.48 
ⓒ→P.70 
ⓓ→P.62 
ⓔ→P.83 
ⓕ→P.51 

作り方

1 彩りを準備する

冷凍いくらは冷蔵室に移し、解凍する。薄焼き卵は電子レンジで解凍し、細いせん切りにする。

2 酢飯を作る

冷凍ごはんは電子レンジで加熱し、すし酢を混ぜながら冷まし、白いりごまを加え混ぜる。

3 具を準備する

冷凍ゆでえび、冷凍ゆで枝豆、冷凍ゆでにんじんを電子レンジで解凍する。えびは殻をむき、枝豆はさやから豆を出す。

4 酢飯と具を混ぜ、皿に盛りつける

❷と❸を混ぜて皿に盛りつけ、❶を彩りよくちらす。

豚肉のイタリアン焼き

Part 3 冷凍食材でスピードレシピ

主菜

調理時間 約10分

厚めの豚肉とアスパラガスに溶けたチーズがトロ～リとからむ、イタリア風のソテー。
トマトから出る水分が、さっぱりとしたソースになります。
塩、こしょうで下味を付けた豚肉を使えば調味料いらず。

材料（2人分）

- 冷凍 豚厚切り肉（塩・こしょう済み）ⓐ……2枚
- 冷凍 ゆでアスパラガス（5〜6cm長さ切り）ⓑ
    ……2本分（40g）
- 冷凍 トマト（ざく切り）ⓒ……1/2個分（70g）
- 冷凍 ピザ用チーズⓓ……60g
- オリーブオイル……小さじ2

ⓐ→P.32
ⓑ→P.56
ⓒ→P.57
ⓓ→P.84

作り方

1　豚肉を切る

冷凍豚厚切り肉は電子レンジで半解凍し、2〜3cm幅に切る。

2　豚肉を焼き、野菜を加える

フライパンにオリーブオイルを熱し、❶を並べ入れて両面を焼きつける。冷凍ゆでアスパラガスを加えて炒め合わせ、冷凍トマトをちらす。

3　チーズを加え、蒸し焼きにする

❷の上に冷凍ピザ用チーズをちらし、蓋をしてチーズが溶けるまで弱火で蒸し焼きにする。

ハッシュドビーフ

Part 3 冷凍食材でスピードレシピ

主菜

調理時間 約8分

冷凍食材と手近な調味料で作れる、お手軽ハッシュドビーフ。
デミグラスソースの代わりに使うのは、
洋風スープの素、トマトケチャップ、ウスターソース。
ごはんにもパンにもよく合います。

材料（2人分）

- 冷凍 牛薄切り肉 ⓐ ……150ｇ
- 冷凍 炒め玉ねぎ（薄切り）ⓑ ……1/4個分（30g）
- 冷凍 炒めきのこミックス ⓒ ……60g
  （しいたけ薄切り2個分、えのきだけ1/2パック分）
- 冷凍 揚げなす（乱切り）ⓓ ……1本分（60g）
- 冷凍 にんにく（みじん切り）ⓔ ……1かけ分（7g）
- 冷凍 パセリ ⓕ ……少量

A ┌ 洋風スープの素（固形）……1/2個
　├ トマトケチャップ……大さじ3
　├ ウスターソース……大さじ1/2
　└ 塩、こしょう……各少量

塩、こしょう……各少量
オリーブオイル……小さじ2

ⓐ→P.34
ⓑ→P.65 
ⓒ→P.68 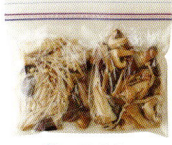
ⓓ→P.58 
ⓔ→P.70 
ⓕ→P.72 

作り方

1 牛肉を切り、下味を付ける

冷凍牛薄切り肉は電子レンジで半解凍し、食べやすい大きさに切って塩、こしょうする。

2 具を炒め、味付けをする

フライパンにオリーブオイルを熱し、冷凍にんにく、冷凍炒め玉ねぎ、❶を順に加えて炒める。さらに冷凍炒めきのこミックスを加え、Ⓐを加え混ぜる。

3 揚げなすを加えて煮る

❷に冷凍揚げなすを加え、なすが温まるまで煮る。

4 皿に盛りつける

皿に盛りつけ、冷凍パセリを細かくくだいてふる。

チキンの
パプリカ蒸し煮

Part 3 冷凍食材でスピードレシピ

主菜

調理時間
約**10**分

フライパンひとつで鶏肉を焼き、野菜を炒めて、一緒に蒸し煮に。
野菜が鶏肉から出た脂も吸って、おいしく仕上がります。
2色のパプリカをきれいに並べてから鶏肉をのせれば、
見た目もゴージャスな1品に。

材料（2人分）

- **冷凍** 鶏モモ肉 ⓐ ……1枚（300g）
- **冷凍** 炒め玉ねぎ（薄切り）ⓑ ……1/4個分（30g）
- **冷凍** ゆでにんじん（輪切り）ⓒ ……1/4本分（45g）
- **冷凍** 炒めセロリ（斜め切り）ⓓ ……1/2本分（45g）
- **冷凍** 炒めパプリカ（赤・黄／細切り）ⓔ ……各1/2個分（計120g）
- 小麦粉……少量
- A
  - 洋風スープの素（固形）……1個
  - 白ワイン……1/2カップ
  - タイム……少量
- パプリカパウダー……小さじ1
- 塩、こしょう……各少量
- オリーブオイル……大さじ1と1/2
- タイム（飾り用）……少量

ⓐ ➡ P.38
ⓑ ➡ P.65
ⓒ ➡ P.62
ⓓ ➡ P.57
ⓔ ➡ P.61

作り方

1 鶏肉を焼き、取り出す

冷凍鶏モモ肉は電子レンジで半解凍して半分に切り、塩、こしょうし、小麦粉をまぶす。フライパンにオリーブオイル大さじ1を熱し、鶏肉を入れて焦げ目がつくまで両面を焼きつけ、取り出す。

2 野菜を炒め、鶏肉とパプリカを加える

❶のフライパンにオリーブオイル大さじ1/2を足し、冷凍炒め玉ねぎ、冷凍ゆでにんじん、冷凍炒めセロリを炒める。❶の鶏肉を戻し入れ、その上に冷凍炒めパプリカをのせる。

3 味付けをし、蒸し煮にする

❷にAを加え、パプリカパウダーをふって蓋をし、鶏肉に火が通るまで蒸し煮にする。

4 皿に盛りつける

彩りよく皿に盛りつけ、タイムを飾る。

梅とねぎの重ねカツ

Part 3 冷凍食材でスピードレシピ　主菜

調理時間 約10分

豚の薄切り肉と梅肉、万能ねぎを交互に重ねる、変わりカツ。
外はサクサク、中は梅肉と万能ねぎの旨味が豚肉に染みて、
やわらかくジューシーに揚がります。
形がくずれないよう、フライパンで揚げ焼きにして。

材料（2人分）

- 冷凍 豚薄切り肉（ロース）ⓐ……10枚
- 冷凍 万能ねぎ（小口切り）ⓑ……大さじ4（20g）
- 冷凍 パン粉ⓒ……1カップ
- 梅干し……大2個
- 小麦粉……大さじ2〜3
- 卵……1/2個
- 塩、こしょう……各少量
- サラダ油……適量
- キャベツ……2〜3枚
- プチトマト……4個

ⓐ→P.30
ⓑ→P.55 
ⓒ→P.29 

作り方

1　豚肉に下味を付ける

冷凍豚薄切り肉は電子レンジで解凍し、1枚ずつ軽く塩、こしょうする。

2　豚肉の間に具をはさむ

梅干しは種を取り除き、手で粗くちぎる。梅干しと冷凍万能ねぎを、❶の豚肉の間にはさんでいく。肉の脂身が交互になるように5枚重ね、とんかつ程度の厚みにする。これを2組作る。

3　衣をまぶし、揚げ焼きにする

❷に小麦粉、溶いた卵、パン粉を順にまぶす。フライパンに多めのサラダ油を熱し、揚げ焼きにする。

4　皿に盛りつける

❸を食べやすく切り分けて皿に盛りつけ、せん切りキャベツ、くし形に切ったプチトマトを添える。

めかじきのみそ炒め

Part 3 冷凍食材でスピードレシピ 主菜

調理時間 約5分

淡白な味わいのめかじきに甘いみそがしっかりからんだ、
ごはんがどんどん進むおかずです。
生のめかじきは11〜2月が旬。脂がのったものが
たくさん手に入ったら冷凍しておいて、ぜひお試しを。

材料（2人分）

- 冷凍 めかじき ⓐ……2切れ
- 冷凍 炒めキャベツ（ざく切り）ⓑ……2〜3枚分（110g）
- 冷凍 炒め玉ねぎ（薄切り）ⓒ……1/4個分（30g）
- 冷凍 ゆでいんげん（ぶつ切り）ⓓ……2〜3本分（20g）

A
- みそ……大さじ2
- 砂糖……大さじ1と1/2
- 酒……大さじ1

- 塩、こしょう……各少量
- サラダ油……小さじ3
- 黒いりごま……少量

ⓐ ➡ P.46
ⓑ ➡ P.53 
ⓒ ➡ P.65 
ⓓ ➡ P.69 

作り方

1 めかじきを焼き、取り出す

冷凍めかじきは電子レンジで半解凍し、4〜5cm角に食べやすく切って、塩、こしょうする。フライパンにサラダ油小さじ2を熱し、めかじきを並べ入れて両面を焼きつけ、取り出す。

2 野菜とめかじきを炒め、味付けをする

❷のフライパンにサラダ油小さじ1を足し、冷凍炒め玉ねぎ、冷凍炒めキャベツ、冷凍ゆでいんげんを順に加えて炒める。❶を戻し入れ、Ⓐを加えて炒め合わせる。

3 皿に盛りつける

皿に盛りつけ、黒いりごまをふる。

あじの南蛮漬け

Part 3 冷凍食材でスピードレシピ　主菜

調理時間 約8分

漬け汁に凍ったままの玉ねぎと2色のピーマンを入れ、
揚げたてのあじをジュッと漬けて。
アツアツで漬けると短時間で味がなじむ上に、
野菜もきちんと解凍できて一挙両得です。

材料（2人分）

- 冷凍 あじ（3枚おろし）ⓐ……2尾分（4枚）
- 冷凍 炒め玉ねぎ（薄切り）ⓑ……1/8個分（15g）
- 冷凍 炒めピーマン（輪切り）ⓒ……1/2個分（15g）
- 冷凍 炒め赤ピーマン（輪切り）ⓓ……1/2個分（15g）
- 小麦粉……適量
- Ⓐ
  - しょうゆ……大さじ1
  - 酢……大さじ1と1/2
  - 砂糖……大さじ1
  - 赤唐辛子（輪切り）……1本分
  - 水……大さじ1
- 塩、こしょう……各少量
- サラダ油……適量

ⓐ ➡ P.43
ⓑ ➡ P.65 
ⓒ ➡ P.61 
ⓓ ➡ P.61 

作り方

1 あじに下味を付け、衣をまぶす

冷凍あじに軽く塩、こしょうし、小麦粉をまぶす。

2 漬け汁を作る

バットにⒶを合わせ、冷凍炒め玉ねぎ、冷凍炒めピーマン、冷凍炒め赤ピーマンを加える。

3 あじを揚げて漬け汁にからめる

フライパンに多めのサラダ油を熱し、❶を入れて火が通るまで揚げ、取り出す。熱いうちに❷に加え、漬け汁をからめてしばらくおく。

キャベツとピーマンのナムル

にんにくとごま、しょうがの風味豊かなナムルダレは、他の野菜と合わせても◎。

Part 3 冷凍食材でスピードレシピ 副菜

調理時間 約5分

材料（2人分）

- 冷凍 ゆでキャベツ（ざく切り）ⓐ……2枚分（100g）
- 冷凍 ゆでピーマン（輪切り）ⓑ……1個分（30g）
- 長ねぎ……5㎝
- しょうが……1/2かけ
- にんにく……1/2かけ
- A
  - しょうゆ……小さじ2
  - 砂糖……小さじ1
  - 白すりごま……大さじ2
  - ごま油……小さじ1

ⓐ→P.53
ⓑ→P.61

作り方

1. ナムルのタレを作る

長ねぎ、しょうが、にんにくはみじん切りにし、Aと合わせる（長ねぎ、しょうが、にんにくは冷凍したものを使ってもOK）。

2. 野菜とタレをあえる

冷凍ゆでキャベツ、冷凍ゆでピーマンを電子レンジで解凍し、1を加えてあえる。

緑野菜の明太バター炒め

緑色に明太子のピンク色が
きれいな、大人味の1品です。
ビールのお供にもぜひ。

材料（2人分）

- 冷凍 ゆでさやえんどう ⓐ ……50g
- 冷凍 ゆでいんげん（ぶつ切り）ⓑ
  ……50g
- 冷凍 明太子 ⓒ ……1/2腹（1本）
- バター……小さじ2
- 塩、こしょう……各少量

ⓐ→P.69
ⓑ→P.69
ⓒ→P.51

調理時間 約8分

作り方

1 明太子をほぐす

冷凍明太子は電子レンジで半解凍して薄皮をむき、ほぐしながら完全に解凍する。

2 野菜を炒め、味付けをする

フライパンにバターを溶かし、冷凍ゆでさやえんどう、冷凍ゆでいんげんを炒める。❶を加えてからめ、塩、こしょうで味をととのえる。

小松菜のじゃこ炒め

ちりめんじゃこと小松菜は
カルシウムたっぷり。
ごはんにふりかけても美味！

調理時間 約5分

Part 3 冷凍食材でスピードレシピ

副菜

材料（2人分）

- 冷凍 ちりめんじゃこ ⓐ ……大さじ3（12g）
- 冷凍 ゆで小松菜（ざく切り）ⓑ ……1/2束分（150g）
- 冷凍 ゆでとうもろこし ⓒ ……50g
- 冷凍 にんにく（みじん切り）ⓓ ……1かけ分（7g）
- 塩、こしょう……各少量
- ごま油……大さじ2

ⓐ→P.52 　ⓑ→P.55
ⓒ→P.59 　ⓓ→P.70 

作り方

1　具材を準備する

冷凍ゆで小松菜、冷凍ゆでとうもろこしは電子レンジで半解凍する。とうもろこしは食べやすい大きさに粒をばらす。

2　具材を炒め合わせ、味付けをする

フライパンにごま油を熱し、冷凍ちりめんじゃこを加えて炒め、こんがり色づいてきたら、冷凍にんにくを加えて炒める。さらにⓑを加えて炒め、塩、こしょうで味をととのえる。

112

とろろ入りみそ汁

下準備済みの冷凍食材を使えば
毎日のみそ汁を作る時間も
ぐっと短縮できます。

材料（2人分）

- 冷凍 油揚げ a ……1/2枚分（10g）
- 冷凍 大和いも（すりおろし）b
   ……大さじ4（80g）
- 冷凍 ゆでオクラ c ……2本
- だし汁……2カップ
- みそ……大さじ2

a ➡ P.74
b ➡ P.66
c ➡ P.61

調理時間 約5分

作り方

1. 具材を準備する

冷凍油揚げは冷凍室から出して自然解凍し、冷凍大和いもは電子レンジで解凍する。冷凍ゆでオクラは半解凍し、小口切りにする。

2. 汁と具材を合わせる

だし汁を沸騰させ、油揚げを加えてさっと煮、みそを溶かし入れる。大和いもを落とし入れ、オクラをちらす。

いちごどら焼き

ホットケーキを使って簡単に。子どもと一緒にデコレーションしても楽しいですよ。

Part 3 冷凍食材でスピードレシピ デザート

調理時間 約10分

材料（2人分）

- 冷凍 ホットケーキⓐ……2枚
- 冷凍 いちごⓑ……8個
- 冷凍 あんこⓒ……大さじ8（160g）
- 冷凍 ホイップクリームⓓ……適量
- 砂糖……小さじ2
- ミント（あれば）……少量

ⓐ→P.28 　ⓑ→P.76
ⓒ→P.87 　ⓓ→P.84 

作り方

1. **具を作る**
   冷凍いちごは電子レンジで半解凍してつぶし、砂糖を混ぜる。冷凍あんこは電子レンジで解凍する。

2. **ホットケーキを切る**
   冷凍ホットケーキは電子レンジで半解凍し、厚みを半分に切り、そのままおいて完全に解凍する。

3. **デコレーションをする**
   ❷の下側に電子レンジで解凍した冷凍ホイップクリームを絞り出す。さらに❶をのせて、上側のホットケーキではさみ、あればミントを飾る。

バナナラッシー

冷凍のバナナとヨーグルトを
解凍しないでミキサーへ。
バナナの量は好みで加減して。

材料（2人分）

- 冷凍 バナナ ⓐ……2本分（300g）
- 冷凍 ヨーグルト ⓑ……1カップ（210g）
- 冷凍 ホイップクリーム ⓒ……適量
- 砂糖……大さじ3
- 板チョコ……少量

ⓐ→P.78
ⓑ→P.83
ⓒ→P.84

調理時間 約5分
（ホイップクリームの解凍時間含まず）

作り方

1 ホイップクリームを準備する

冷凍ホイップクリームは冷蔵室に移し、解凍しておく。

2 ラッシーを作る

冷凍バナナ、冷凍ヨーグルトをミキサーに入れ、砂糖を加えて撹拌し、グラスに移す。❶を絞り、包丁で削った板チョコをちらす。

グレープフルーツゼリー

グレープフルーツの
さわやかな酸味と甘みは、
食後のデザートにぴったり。

調理時間
約5分
（冷やし固める
時間含まず）

Part 3 冷凍食材でスピードレシピ　デザート

材料（2人分）

- 冷凍 グレープフルーツ ⓐ ……80g
- 冷凍 レモン果汁 ⓑ ……大さじ1（15g）
- 粉ゼラチン……1袋（5g）
- 砂糖……大さじ4
- 水……250ml
- セルフィーユ（あれば）……少量

ⓐ→P.77
ⓑ→P.81 

作り方

1 ゼリー液を作る

粉ゼラチンはパッケージの表記通りにふやかし、鍋に水、砂糖と合わせて火にかける。ゼラチンが溶けたらボウルに移し、底を氷水にあて、粗熱をとる。

2 果肉を加える

冷凍グレープフルーツを手で食べやすい大きさに割る。❶に冷凍レモン果汁とグレープフルーツを加え混ぜ、ガラス容器に移す。

3 冷やし固める

冷蔵庫で冷やし固め、あればセルフィーユを飾る。

Part 4
料理別冷凍ガイド

手作り料理も冷凍しておくと便利なもの。ここでは主婦へのアンケートで「冷凍したい」という声が多かった料理の冷凍解凍方法をご紹介します。参考レシピも掲載していますが、料理冷凍のコツさえつかめば、ご家庭の味で冷凍OK。主菜や副菜、ソースは、アレンジレシピもご紹介！

料理冷凍のコツ

料理の冷凍で押さえるべきポイントは、2種類の冷凍方法と、冷凍に不向きな料理。
これらを踏まえれば、この本で紹介している以外の料理も冷凍できます。
冷凍した料理は、お弁当作りの強力な助っ人にもなりますよ。

Part 4 料理別 冷凍ガイド

料理冷凍のコツ

料理の冷凍方法は主に2種類

その2 工程の途中で冷凍する

ギョーザやグラタンなど、最後に加熱調理する料理は、その直前で冷凍してもOK。手間がかかる料理も、時間がある日にこの段階まで作っておけば、手軽に楽しめます。

その1 完成した料理を冷凍する

料理を最後まで作り、添え物などを除いて冷凍。ほとんどの料理はこの方法で冷凍できます。解凍時に食べやすい量、もしくはアレンジしやすい量で冷凍しましょう。

覚えておこう！ 冷凍に不向きな料理

解凍が難しい料理

例えば、にぎり寿司やちらし寿司は、ネタは温かくならない程度に解凍し、シャリは加熱解凍後に冷ますことが必要。解凍方法が複雑なので冷凍には向きません。ネタからドリップが出てしまうので味も悪くなります。

食感が変わる食材を含む料理

茶わん蒸しや麻婆豆腐などは、食感がまったく変わってしまいます。ただし筑前煮（P.124）やすき焼き（P.128）などのように、食感が変わる食材を除けるものは冷凍OK。P.88で紹介した食材を含む料理も避けて。

冷凍食材を使った料理

一度冷凍した食材を使った料理を冷凍すると、「再冷凍」になってしまいます。再冷凍すると著しく味が落ちるので、避けた方がよいでしょう。また、自分で冷凍した料理を解凍した後、再冷凍するのもNGです。

118

冷凍料理はお弁当にも大活躍！

炊き込みごはん → P.120

鶏のから揚げ → P.134

全部冷凍料理を詰めただけ！

きんぴらごぼう → P.154

ほうれんそうのごまあえ → P.156

かぼちゃの煮物 → P.158

慌ただしい朝でも、冷凍料理のストックがあれば、短時間で栄養満点のお弁当が完成。副菜があれば「あと1品ほしい」というときの隙間おかずにもなります。すべて冷凍料理にすれば、かなりの時間短縮にも。また、凍ったまま詰めた料理は、傷み予防の保冷剤代わりにもなります。お弁当用にしたい料理は、あらかじめお弁当サイズに切ったり、小分けのカップなどに入れたりしてから冷凍しておくと便利です。

冷凍料理を詰めるときのコツ

自然解凍で食べられるものは、冷凍のまま詰める

解凍すれば食べられるものは、そのまま詰めてOK。食べるころには自然解凍されているはずです。ただし、冷凍料理を複数詰めると保冷効果が高まるので、寒い日や、詰めてから短時間で食べるときには、解凍しきれないことも。そのような日は、電子レンジで解凍してから詰めておくと安心です。

ごはんやパスタは一度加熱し、冷ましてから詰める

ごはんやパスタは、冷凍したものを自然解凍するとボソボソしておいしくありません。それは、温かいごはんやパスタに含まれているαデンプンが、冷凍によってβデンプンに変化してしまうから。加熱すればαデンプンに戻るので、電子レンジで加熱した後、冷ましてから詰めるようにしましょう。

Part 4 料理別 冷凍ガイド

主食

チャーハンやピラフ、混ぜごはんなども同じ冷凍・解凍方法でOK

冷凍方法
1食分ずつラップに包み、冷凍保存袋に入れる

解凍加熱方法
電子レンジで解凍加熱する

お弁当の場合
お弁当箱で入れたい量を計って、冷凍しておくと便利。お弁当箱には上記の方法で解凍加熱してから詰める

家族が好きな具をたくさん入れて

炊き込みごはん

参考レシピ

*材料（4人分）
米…3合
鶏モモ肉…1/2枚
にんじん…1/3本
油揚げ…1枚
しいたけ…4枚
しょうが…1かけ
だし汁…目盛りまで
A ┌ 酒…大さじ3
　│ しょうゆ…大さじ3
　└ みりん…大さじ1と1/3
しょうゆ、酒…各小さじ1
万能ねぎ（あれば）…少量

*作り方
① 米は洗ってザルにあげておく。
② 鶏モモ肉は1.5cm角に切り、しょうゆ、酒各小さじ1をまぶして下味を付ける。
③ 油揚げは熱湯をかけてから短冊切り、にんじんはせん切り、しいたけは石づきを除き5mm厚さの薄切り、しょうがはせん切りにする。
④ 炊飯器に①を入れ、Ⓐを加える。だし汁を炊飯器の3合の目盛りまで注ぎ、よく混ぜる。
⑤ ④に②と③を加えてさっと混ぜ、普通に炊く。
⑥ 炊きあがったらよく混ぜ、茶わんに盛る。あれば小口切りにした万能ねぎをふる。

たこ焼きやチヂミも同じ
冷凍・解凍方法でOK

冷凍方法

食べやすい大きさに切ってラップに包み、冷凍保存袋に入れる

解凍加熱方法

電子レンジで解凍加熱する

冷凍しておけば手軽な夜食にも

お好み焼き

参考レシピ

＊材料（4人分）

天ぷら粉（なければ小麦粉）…2カップ
豚バラ薄切り肉…160g
大和いも…30g
キャベツ…1/3個（約400g）
天かす…大さじ8
卵…4個
だし汁…1と1/2カップ
塩…少々
サラダ油…適量
とんかつソース、マヨネーズ、削りがつお、青のり、紅しょうが…各適量

＊作り方

❶大和いもはすりおろす。だし汁に塩を溶かし、天ぷら粉を加えてよく混ぜる。さらに大和いもを加えてよく混ぜ、冷蔵室で30分ねかせる。
❷キャベツは1cm角に、豚バラ薄切り肉は10cm長さに切る。
❸❶の生地の1/4量に卵1個、キャベツ1/4量、天かす大さじ2を加え、よく混ぜる。
❹よく熱したフライパンに薄くサラダ油をひき、❸を円形に広げ、❷の豚肉の1/4量を広げてのせる。
❺❹が固まってきたらへらで裏返し、丸く形を整えながら火を通す。
❻裏を見てこんがりときつね色になったら、再び返してとんかつソース、マヨネーズ、削りがつお、青のりを順にかけ、紅しょうがをのせる。同様に残り3枚を焼く。

Part 4 料理別 冷凍ガイド

主食

他のパスタ料理や焼きそば、焼きうどんなども同じ冷凍・解凍方法でOK

冷凍方法
1食分ずつラップに包み、冷凍保存袋に入れる

解凍加熱方法
電子レンジで解凍加熱する

お弁当の場合
カップに小分けにして金属バットの上に並べ、ラップをかけて冷凍。凍ったら冷凍保存袋に移す。お弁当箱には上記の方法で解凍加熱してから詰める

スパゲティの王道＆お弁当の名脇役

ナポリタン

参考レシピ

＊材料（4人分）

スパゲティ…400g
ハム…8枚
玉ねぎ…1/2個
ピーマン…2個
A ┌ トマトケチャップ…大さじ8
　└ 塩、こしょう…各少量
オリーブオイル…大さじ2
粉チーズ（好みで）…適量

＊作り方

❶ハムは短冊切り、玉ねぎは薄切り、ピーマンは輪切りにする。
❷鍋にたっぷりの湯を沸かして塩（分量外）を加え、スパゲティをパッケージに表記された時間通りにゆでる。
❸フライパンにオリーブオイルを熱し、玉ねぎ、ピーマン、ハムの順に炒める。❷を加えてからめ、Ⓐを加えてよく混ぜる。皿に盛りつけ、好みで粉チーズをふる。

ラザニアやドリアも同じ
冷凍・解凍方法でOK

冷凍方法

焼く前に耐熱容器に盛ってラップに包み、冷凍保存袋に入れる

解凍加熱方法

電子レンジで解凍し、オーブントースターで焼く

お弁当の場合

アルミカップに盛ってラップに包み、金属バットに並べて冷凍。凍ったら冷凍保存袋に移す。お弁当箱には上記の方法で解凍加熱してから詰める

焼きたてアツアツで食べたい

グラタン

参考レシピ

＊材料（4人分）

マカロニ（ペンネ・乾燥）…200g
えび…12尾
玉ねぎ…1/2個
ブロッコリー…1/2株
ピザ用チーズ…100g
バター…大さじ5
小麦粉…大さじ5
牛乳…3と1/2カップ
塩、こしょう…各少量
パン粉、バター…各少量

＊作り方

❶ えびは背ワタを取り除き、殻をむく。玉ねぎは1cm厚さのくし形に切り、ブロッコリーは小房に分ける。
❷ 鍋にたっぷりの湯を沸かして塩（分量外）を加え、マカロニ（ペンネ）をパッケージの表示時間通りにゆでる。ゆであがる2分前になったら❶のブロッコリーを加えてゆで、一緒にザルにあげる。
❸ フライパンにバター大さじ1を溶かし、❶のえびを炒めて一度取り出す。フライパンにバター大さじ1を足して、❶の玉ねぎを半透明になるまで炒め、残りのバター大さじ3を足し、小麦粉をふり入れてからめる。牛乳を加え、木べらで混ぜながら加熱する。とろみがついてきたら、えびと❷を加えてさっと煮、塩、こしょうで味をととのえる。
❹ 耐熱皿に移して、ピザ用チーズ、パン粉、バターを順にのせ、オーブントースターで5〜6分、こんがり焦げ目がつくまで焼く。

> 食感が変わる食材を除けば、他の煮物でも同じ冷凍・解凍方法でOK
> ※肉じゃがはP.126参照

冷凍方法

こんにゃくとタケノコを除き、1食分ずつラップに包み、冷凍保存袋に入れる

解凍加熱方法

電子レンジで解凍加熱する

お弁当の場合

カップに小分けにして金属バットの上に並べ、ラップをかけて冷凍。凍ったら冷凍保存袋に移す。お弁当箱には凍ったまま詰めてOK

Part 4 料理別 冷凍ガイド

定番の主菜＋アレンジレシピ

アンケート「家庭で冷凍したい料理は？」の第1位！

筑前煮

参考レシピ

※材料（4人分）

鶏モモ肉…2枚
にんじん…1本
れんこん…1節（約200g）
こんにゃく…1枚
干ししいたけ…小4枚
水煮タケノコ…小1個
いんげん…4本
だし汁（干ししいたけの戻し汁も加える）…4カップ
A ┌ しょうゆ…大さじ4
　├ みりん…大さじ2
　└ 砂糖…大さじ2
サラダ油…大さじ1

※作り方

❶鶏モモ肉は5〜6cm大に切る。干ししいたけは水で戻し、石づきを取って半分に切る。にんじんは乱切り、れんこんは半月切りにする。こんにゃくはゆでこぼし、ひと口大に手でちぎる。
❷水煮タケノコは6つ割りにする。
❸いんげんは塩（分量外）を加えた熱湯でゆで、水に取って乱切りにする。
❹鍋にサラダ油を熱し、鶏モモ肉を焼きつける。にんじん、れんこん、こんにゃくを加えて炒め、干ししいたけを炒め合わせる。
❺だし汁を加え、沸騰したらアクを取り、Ⓐ、❷を加え、落とし蓋をして煮汁がほぼなくなるまで煮詰める。
❻器に盛りつけ、❸をちらす。

少しだけ残った煮物が主食に変身
筑前煮の混ぜごはん

アレンジレシピ 1

材料（2人分）

冷凍 筑前煮
　　　…約100g（参考レシピの1/8量）
温かいごはん…茶わん2杯
A ┌ 塩…少量
　├ しょうゆ…小さじ1
　└ ごま油…少量
黒いりごま…少量

作り方

① 冷凍筑前煮は電子レンジで半解凍し、1㎝角に刻む。さらに電子レンジで加熱する。
② 温かいごはんに①を混ぜ、Aで味をととのえる。
③ 器に盛りつけ、黒いりごまをふる。

卵を加えてボリュームアップ
筑前煮の卵とじ

アレンジレシピ 2

材料（2人分）

冷凍 筑前煮
　　　…約200g（参考レシピの1/4量）
卵…2個
A ┌ だし汁…1/2カップ
　├ しょうゆ…大さじ1と1/2
　└ みりん…大さじ1と1/2
みつば…少量

作り方

① 冷凍筑前煮は電子レンジで半解凍し、食べやすく切る。
② フライパンにAを合わせ、①を加えて煮る。沸騰して具が温まったら、溶いた卵を回し入れ、刻んだみつばをちらす。

Part 4 料理別 冷凍ガイド

定番の主菜＋アレンジレシピ

冷凍方法
じゃがいもとそれ以外の具材に分けて冷凍保存袋に入れる。じゃがいもはマッシュする

解凍加熱方法
電子レンジで解凍加熱する

じゃがいもにほどよく味を染み込ませて

肉じゃが

参考レシピ

＊材料（4人分）
牛薄切り肉…200g
じゃがいも…3個
玉ねぎ…1個
にんじん…1本
だし汁…2と1/2カップ
A ┌ しょうゆ…大さじ4
 │ みりん…大さじ4
 └ 砂糖…大さじ2
サラダ油…大さじ1
さやえんどう…4枚

＊作り方
① 牛薄切り肉は3〜4cm幅に切る。じゃがいも、にんじんは乱切り、玉ねぎはくし形に切る。
② さやえんどうは筋を除き、塩（分量外）を加えた熱湯で色よくゆで、水にとり、斜め切りにする。
③ 鍋にサラダ油を熱し、玉ねぎを炒める。牛薄切り肉を加え、色が変わったら、にんじん、じゃがいもを加え炒め、だし汁を加える。
④ だし汁が沸騰したらアクを取り、Aを加え、落とし蓋をして約10分煮る。
⑤ 煮汁が1/3量になったら落とし蓋を外し、上下を返す。そのまま汁気がなくなるまで強火で煮て、煮汁を飛ばす。
⑥ 器に盛りつけ、②をちらす。

マッシュのじゃがいもを使えばラクチン
ツナコロッケ

アレンジレシピ 1

材料（2人分）

冷凍 肉じゃがのじゃがいも（マッシュ）
　　　　　　　　　　　…約200g

- 玉ねぎ…1/4個
- ツナ缶…小1缶
- コーン…大さじ2
- パセリ…少量
- 小麦粉…大さじ2〜3
- 卵…1/2個
- パン粉…1カップ
- 塩、こしょう…各少量
- 揚げ油…適量
- レタス…2〜3枚
- とんかつソース（好みで）…適量

作り方

1. 冷凍肉じゃがのじゃがいもは電子レンジで解凍する。
2. 玉ねぎはみじん切り、ツナ缶は缶汁をきってほぐす。パセリはみじん切りにする。
3. ①に②とコーンを加え混ぜ、塩、こしょうで味をととのえる。6等分にしてたわら形に成形し、小麦粉、溶いた卵、パン粉を順にまぶす。
4. 揚げ油を180度に熱し、③をカラリと揚げる。
5. 皿に盛ってレタスを添え、好みでとんかつソースをかける。

豆腐がお肉のあんで主役おかずに変身
あんかけ豆腐

アレンジレシピ 2

材料（2人分）

冷凍 肉じゃが（じゃがいも抜き）
　　　　　　　　　　　…約380g

- 木綿豆腐…1丁
- A
  - 水…1カップ
  - 鶏ガラスープの素…小さじ1/3
  - オイスターソース…小さじ2
  - しょうゆ…小さじ1
  - 酒…大さじ1
- 砂糖…小さじ1
- 豆板醤、塩、こしょう…各少量
- B
  - 水…大さじ2
  - 片栗粉…大さじ1
- ごま油…少量
- カイワレ大根…少量

作り方

1. 木綿豆腐は8等分に切る。
2. フライパンにAを沸騰させ、冷凍肉じゃがを加えて溶かす。①を加えてさっと煮、Bの水溶き片栗粉でとろみをつけ、ごま油を回し入れる。
3. 器に盛りつけ、根を除いたカイワレ大根を飾る。

Part 4 料理別 冷凍ガイド

定番の主菜＋アレンジレシピ

他の鍋料理も同じ冷凍・解凍方法でOK

冷凍方法

豆腐、しらたき、春菊を除き、冷凍保存容器に入れる

解凍加熱方法

電子レンジで解凍加熱する

みんなで囲みたいごちそう鍋の定番

すき焼き

参考レシピ

＊材料（4人分）

牛薄切り肉…300g
焼き豆腐…1丁
長ねぎ…2本
白菜…1/4束
春菊…1束
えのきだけ
　…1パック
しいたけ…4枚
しらたき（白）
　…1袋（150g）

A ┌ しょうゆ…大さじ8
　├ みりん…大さじ8
　└ 砂糖…大さじ6
牛脂…適量
卵…4個

＊作り方

① 牛薄切り肉は食べやすく切る。
② 焼き豆腐を6～8等分に切る。長ねぎは斜め切り、白菜、春菊はざく切りにする。えのきだけは石づきを除いて小房に分け、しいたけは石づきを除いてカサに飾り切りを入れる。しらたきはゆでこぼしてざく切りにする。
③ Aを合わせる。鍋を熱して牛脂を溶かし、①を焼きつけ、Aを加えからめる。②も加え、Aを足しながら味をととのえる。
④ 各自取り分け、溶いた卵をつけていただく。

ピザ風の具を詰めたらカリッと焼いて
油揚げサンド

アレンジレシピ 1

材料（2人分）

冷凍 すき焼き
　　…約200g（参考レシピの1/4量）
油揚げ…2枚
A ┌ ピザ用チーズ…50g
　└ トマトケチャップ…大さじ2
ごま油…適量

作り方

① 冷凍すき焼きは電子レンジで解凍して刻み、Aを混ぜる。
② 油揚げは、長いほうの1辺に包丁で切り込みを入れて袋にする。
③ ②に①を入れて楊枝で留める。フライパンにごま油を熱し、並べ入れて両面を焼く。食べやすく切り分けて、楊枝を外し、皿に盛りつける。

すき焼きの旨味でいつもよりランクアップ
すき焼きうどん

アレンジレシピ 2

材料（2人分）

冷凍 すき焼き
　　…約200g（参考レシピの1/4量）
ゆでうどん…2玉
卵…2個
A ┌ とんかつソース…大さじ1
　└ 塩、こしょう…各少量
サラダ油…小さじ2
春菊（あれば）…適量

作り方

① フライパンにサラダ油小さじ1を熱し、卵を割り入れて目玉焼きを作り、取り出す。
② ①のフライパンにサラダ油小さじ1を足し、冷凍すき焼きを入れ、蓋をして蒸し焼きにする。解凍できたら、ゆでうどんを加えて炒め合わせ、Aで味をととのえる。
③ 皿に盛りつけて①をのせ、あれば春菊を添える。

> 煮豚や牛すじ煮込みなども同じ冷凍・解凍方法でOK

冷凍方法
1食分ずつ冷凍保存袋に入れる

解凍加熱方法
電子レンジで解凍加熱する

お弁当の場合
食べやすく切り、カップに小分けにして金属バットの上に並べ、ラップをかけて冷凍。凍ったら冷凍保存袋に移す。お弁当箱には凍ったまま詰めてOK

Part 4 料理別 冷凍ガイド

定番の主菜＋アレンジレシピ

じっくり煮込んでやわらかく

角煮

参考レシピ

＊材料（4人分）

豚バラブロック肉…800g
長ねぎの青い部分…1本分
しょうが（薄切り）…3〜4枚
A ┌ 水…4カップ
　├ 酒…1カップ
　├ しょうゆ…大さじ4
　├ 砂糖…大さじ3
　├ 八角…1個
　└ しょうが（薄切り）…3〜4枚
辛子（好みで）…適量

＊作り方

❶豚バラブロック肉はかたまりのまま鍋に入れ、かぶるくらいの水、長ねぎの青い部分、しょうがを加えて火にかけ、沸騰後約20分下ゆでする。そのままおいて粗熱をとり、食べやすい大きさに切る。
❷鍋にAと❶を加え、沸騰したらアクを取り、落とし蓋をして1〜2時間煮る。
❸❷を皿に盛りつけ、好みで辛子を添える。

しっかり味がついたお肉を卵で包んで
角煮ピカタ

アレンジレシピ 1

材料（2人分）

冷凍 角煮
　　　…約260g（参考レシピの1/2量）
卵…2個
小麦粉…少量
サラダ油…小さじ2
トマトケチャップ…適量

作り方

❶冷凍角煮は電子レンジで半解凍する。厚いものは半分の厚さに切る。
❷❶に小麦粉をまぶし、溶いた卵をからめる。
❸フライパンにサラダ油を熱し、❷を並べ入れて両面を焼く。
❹皿に盛りつけ、トマトケチャップを添える。

角煮の味を生かして味付けはシンプルに
角煮の小松菜炒め

アレンジレシピ 2

材料（2人分）

冷凍 角煮
　　　…約130g（参考レシピの1/4量）
小松菜…1束（230g）
にんにく…1かけ
塩、こしょう…各少量
ごま油…小さじ2

作り方

❶冷凍角煮は電子レンジで半解凍し、棒状に切る。
❷小松菜はざく切り、にんにくは薄切りにする。
❸フライパンにごま油を熱し、❷、❶を順に加え炒め合わせ、塩、こしょうで味をととのえる。

Part 4 料理別 冷凍ガイド

定番の主菜＋アレンジレシピ

焼き鳥やローストチキンなども同じ冷凍・解凍方法でOK

冷凍方法

1食分ずつラップに包み、冷凍保存袋に入れる

解凍加熱方法

電子レンジで解凍加熱する

お弁当の場合

カップに小分けにして金属バットの上に並べ、ラップをかけて冷凍。凍ったら冷凍保存袋に移す。お弁当箱には凍ったまま詰めてOK

皮の香ばしさと甘辛ダレでごはんが進む

照り焼きチキン

参考レシピ

＊材料（4人分）

鶏モモ肉…2枚
A ┌ しょうゆ…大さじ2
　├ みりん…大さじ2
　├ 酒…大さじ2
　└ しょうが汁…小さじ2
サラダ油…大さじ1
砂糖…大さじ1/2
ししとう…12本

＊作り方

① 鶏モモ肉は1枚を半分に切り、Aの下味に漬ける。
② ししとうは包丁で縦に切り込みを入れる。
③ フライパンにサラダ油を熱し、①の漬け汁をきり、皮目を下にして並べ入れて両面を焼きつける。途中で②を加え、脇で一緒に焼きつける。
④ 残った漬け汁に砂糖を加え、③のフライパンに加えてからめる。
⑤ ④の鶏肉を食べやすく切り分け、皿に盛りつけて煮汁をかけ、ししとうを添える。

132

ふんわり卵に子どもも大喜び
照りチキオムライス

アレンジレシピ 1

材料（2人分）

冷凍 照り焼きチキン
　　　…1/2枚分（参考レシピの1/4量）

ごはん…茶わん2杯強
卵…4個
玉ねぎ…1/4個
いんげん…4本
乾燥ひじき…3g

A ┌ トマトケチャップ
　　　…大さじ4
　└ 塩、こしょう…各少量

塩、こしょう…各少量
バター…大さじ1
オリーブオイル…小さじ2
トマトケチャップ…適量

作り方

❶冷凍照り焼きチキンは電子レンジで半解凍し、1.5cm角に刻む。
❷乾燥ひじきは水で戻す。玉ねぎはみじん切り、いんげんは色よくゆでて小口切りにする。
❸フライパンにオリーブオイルを熱し、❶と❷を炒める。ごはんを加えて炒め合わせ、Aで味をととのえて、皿に盛りつける。
❹卵を溶いて塩、こしょうし、フライパンにバターを溶かした中に加え、手早く混ぜて半熟に仕上げる。❸にのせ、トマトケチャップをかける。

鶏肉とりんごのさっぱり感が好相性
照りチキコールスロー

アレンジレシピ 2

材料（2人分）

冷凍 照り焼きチキン
　　　…1/2枚分（参考レシピの1/4量）

キャベツ…4枚（200g）
りんご…1/2個
A ┌ マヨネーズ…大さじ2
　└ 塩、こしょう…各少量
塩…少量

作り方

❶冷凍照り焼きチキンは電子レンジで半解凍し、小さめのそぎ切りにする。
❷キャベツは1cm角に刻んで塩もみし、しんなりしたら水気を絞る。りんごは皮つきのままいちょう切りにする。
❸❶と❷にAを加えてあえる。

Part 4 料理別 冷凍ガイド

定番の主菜＋アレンジレシピ

フライドチキンや竜田揚げなども同じ冷凍・解凍方法でOK

冷凍方法
金属バットの上に並べ、ラップをかけて冷凍し、凍ったら冷凍保存袋に移す

解凍加熱方法
電子レンジで解凍し、オーブントースターで温める

お弁当の場合
お弁当箱には凍ったまま詰めてOK

揚げたてはもちろん、冷めてもおいしい
鶏のから揚げ

参考レシピ

＊材料（4人分）

鶏モモ肉…2枚
小麦粉…適量
A
- しょうゆ…大さじ1
- 酒…大さじ1
- 塩、こしょう…各少量
- おろしにんにく…1/2かけ分
- しょうが汁…小さじ1

揚げ油…適量
レモン…適量
パセリ…少量

＊作り方

1. 鶏モモ肉は1枚を8等分に切り、Aの下味に漬ける。
2. ①の汁気をきり、小麦粉をまぶして180度の揚げ油でカラリと揚げる。
3. 皿に盛りつけ、くし形に切ったレモンとパセリを添える。

酢豚の味付けで"酢鶏"はいかが？
から揚げの酢豚風

アレンジレシピ 1

材料（2人分）

冷凍 鶏のから揚げ
…4個（参考レシピの1/4量）

玉ねぎ…1/2個
にんじん…1/2本
ピーマン…1個
A ┌ トマトケチャップ
　　　…大さじ2
　├ 酢…大さじ1
　├ 砂糖…大さじ1
　└ 酒…大さじ1
鶏ガラスープの素
　…小さじ1/2
水…1/3カップ
塩、こしょう…各少量
B ┌ 水…小さじ2
　└ 片栗粉…小さじ1
サラダ油…小さじ2
ごま油…少量

作り方

❶冷凍鶏のから揚げは電子レンジで解凍し、半分に切る。
❷玉ねぎは3～4cm大に切り、にんじん、ピーマンは乱切りにする。にんじんはゆでる。
❸Aを合わせる。フライパンにサラダ油を熱し、❷を炒める。Aを加えて沸騰したら、❶を加え温める。Bの水溶き片栗粉でとろみをつけ、ごま油を回し入れる。

ボリュームたっぷりのおかずサラダ
から揚げのシーザーサラダ

アレンジレシピ 2

材料（2人分）

冷凍 鶏のから揚げ
…4個（参考レシピの1/4量）

ロメインレタス…1株
水菜…1株
カッテージチーズ…大さじ2
A ┌ 白ワインビネガー…大さじ1/2
　├ 塩…小さじ1/6
　├ こしょう…少量
　├ 粒マスタード…小さじ1
　└ オリーブオイル…大さじ1

作り方

❶冷凍鶏のから揚げは電子レンジで解凍し、薄切りにする。
❷Aのドレッシングは合わせておく。
❸ロメインレタスは縦半分に切って斜めにざく切りにし、水菜は5～6cm長さに切る。合わせて皿に盛りつけ、❶とカッテージチーズをちらし、❷をかける。

Part 4 料理別 冷凍ガイド

定番の主菜＋アレンジレシピ

冷凍方法

焼く前
金属バットの上に並べ、ラップをかけて冷凍。凍ったら1つずつラップに包んで冷凍保存袋に入れる

焼いた後
1つずつラップに包み、冷凍保存袋に入れる

解凍加熱方法

焼く前
電子レンジで解凍してから、フライパンで焼く

焼いた後
電子レンジで解凍加熱する

お弁当の場合

お弁当箱には
焼く前…上記の方法で解凍加熱してから詰める
焼いた後…凍ったまま詰めて OK

肉汁を閉じ込めてふっくら仕上げたい

ハンバーグ

参考レシピ

＊材料（4人分）

合びき肉…400g
玉ねぎ…1/4個
にんにく…1かけ
パン粉、牛乳
　　　　…各大さじ3
卵…1個
A ┌ トマトケチャップ
　│　　　…大さじ4
　│ とんかつソース
　│　　　…大さじ2
　└ バター…大さじ1
塩…小さじ1/2
こしょう、ナツメグ
　　　　…各少量
サラダ油
　　　　…大さじ1と1/2
リーフレタス
　　　　…1～2枚
プチトマト…4個

＊作り方

❶玉ねぎ、にんにくはみじん切りにする。フライパンにサラダ油大さじ1/2を熱し、炒める。パン粉は牛乳にひたしておく。
❷ボウルに合びき肉、❶、卵、塩、こしょう、ナツメグを加えてよく混ぜ、4等分にして小判形に成形する。
※お弁当や煮物にアレンジする場合は、8等分で成形して冷凍する
❸フライパンにサラダ油大さじ1を熱し、❷を並べ入れて焼き、焦げ色がついたら裏返す。蓋をして火が通るまで焼く。
❹皿に盛りつけ、ちぎったリーフレタス、半分に切ったプチトマトを添える。❸の肉汁が残ったフライパンにAを合わせてソースを作り、ハンバーグにかける。

136

アレンジレシピ 1

ころころ焼いて中華スープに
ハンバーグ獅子頭

材料（2人分）

冷凍 ハンバーグ（焼いた後）
…8等分サイズ×2個（参考レシピの1/4量）

チンゲンサイ…1株
水煮タケノコ…小2個
干ししいたけ…4枚
春雨…70g
酒…大さじ2
にんにく（薄切り）…1かけ分
赤唐辛子（種を除く）…1本
塩、こしょう、ごま油…各少量

A
- 干ししいたけの戻し汁…3カップ
- 鶏ガラスープの素…小さじ1

作り方

① 干ししいたけは3と1/2カップの水で戻し、半分に切る。
② 春雨は水につけて戻す。チンゲンサイの葉はざく切りにし、茎の部分は4つ割りにする。水煮タケノコは薄いくし形に切る。
③ 鍋にAを合わせ、①を加えて沸騰させる。冷凍ハンバーグを加え、温まったら②を加えて煮る。塩、こしょうで味をととのえ、ごま油を回し入れる。

アレンジレシピ 2

豆腐が入ったキムチ鍋風おかず
スンドゥブキムチ

材料（2人分）

冷凍 ハンバーグ（焼いた後）
…4等分サイズ×1個（参考レシピの1/4量）

絹豆腐…1丁
キムチ…150g
韓国粉赤唐辛子（※）…大さじ1/2
コチュジャン…大さじ1/2
ニラ…少量

A
- 水…1カップ
- 鶏ガラスープの素…小さじ1/2
- 酒…大さじ2
- みそ…大さじ1と1/2

※なければ一味唐辛子を少量

作り方

① 冷凍ハンバーグは電子レンジで半解凍し、1個を6等分に切る。キムチが大きい場合は、食べやすく切る。
② 鍋にAを沸騰させ、①を加え、さらに絹豆腐を手で大きくちぎりながら加えてさっと煮る。
③ 皿に盛りつけ、ニラの斜め小口切りをちらす。

Part 4 料理別 冷凍ガイド

定番の主菜＋アレンジレシピ

冷凍方法

揚げる前
金属バットの上に並べ、ラップをかけて冷凍。凍ったらひとつずつラップに包んで冷凍保存袋に入れる

揚げた後
ひとつずつラップに包み、冷凍保存袋に入れる

解凍加熱方法

揚げる前
凍ったまま油で揚げる

揚げた後
電子レンジで解凍し、オーブントースターで温める

お弁当の場合

お弁当箱には
揚げる前…上記の方法で解凍加熱してから詰める
揚げた後…凍ったまま詰めて OK

冷凍用ではじゃがいもをしっかりマッシュして

コロッケ

参考レシピ

＊材料（4人分）

合びき肉…150g
玉ねぎ…3/4個
じゃがいも…4〜5個
小麦粉…大さじ3〜4
卵…1個
パン粉…2カップ
塩、こしょう…各少量
サラダ油…小さじ1
揚げ油…適量
キャベツ…2〜3枚
カイワレ大根…1/2パック
とんかつソース（好みで）…適量

＊作り方

❶玉ねぎはみじん切りにして、フライパンにサラダ油を熱して炒める。さらに合びき肉を加え、パラパラになるまで炒め、塩、こしょうで味を付ける。

❷じゃがいもは電子レンジで12〜15分加熱し、熱いうちに皮をむいてしっかりつぶす。①を加え混ぜ、塩、こしょうで味をととのえる。8等分にして小判形に成形し、小麦粉、溶いた卵、パン粉を順にまぶす。

❸揚げ油を180度に熱し、②をカラリと揚げる。

❹③を皿に盛りつけ、せん切りにしたキャベツ、根を除いたカイワレ大根を混ぜて添える。好みでとんかつソースをかける。

アレンジレシピ 1

トースターで温めてサクっとした歯触りに
コロッケドック

材料（2人分）

冷凍 コロッケ（揚げた後）
…1個（参考レシピの1/8量）
ドックパン（小）…2本
キャベツ…1/2枚
きゅうり…1/8本
バター…適量
とんかつソース、マスタード…各適量

作り方

❶キャベツはせん切りにし、きゅうりは輪切りにする。
❷冷凍コロッケは電子レンジで半解凍し、縦4等分に切る。さらにオーブントースターで加熱する。
❸ドックパンは縦半分に切り込みを入れ、オーブントースターで軽く温めて、内側にバターを塗る。
❹❸の1本に、❶の半量を挟み、さらに❷を2切れ挟む。同様にもう1組作り、とんかつソース、マスタードをかける。

アレンジレシピ 2

ピザなのにごはんのおかずになっちゃう
コロッケピザ

材料（2人分）

冷凍 コロッケ（揚げた後）
…2個（参考レシピの1/4量）
玉ねぎ…1/4個　　　トマトケチャップ
トマト…1/2個　　　　　　…大さじ2
ピーマン…1/2個　　ペッパーソース（好みで）
ピザ用チーズ…50g　　　　　…少量

作り方

❶フライパンに冷凍コロッケを入れ、蓋をして弱火で加熱する。途中で裏返し、やわらかくなったら、へらでつぶしてフライパンいっぱいに薄くのばす。
❷玉ねぎは薄切り、トマト、ピーマンは8mm厚さの輪切りにする。
❸❶に玉ねぎをのせ、トマトケチャップをかける。さらにトマト、ピザ用チーズ、ピーマンを順にのせ、蓋をしてチーズが溶けるまで焼く。
❹食べやすく切って皿に盛り、好みでペッパーソースをふる。

Part 4 料理別 冷凍ガイド

定番の主菜＋アレンジレシピ

冷凍方法

焼く前
金属バットの上に並べ、ラップをかけて冷凍し、凍ったら冷凍保存袋に移す

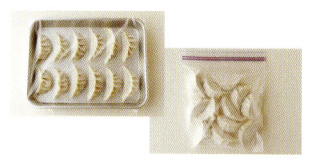

焼いた後
1つずつラップに包み、冷凍保存袋に入れる

解凍加熱方法

焼く前
凍ったままフライパンで焼く

焼いた後
電子レンジで解凍加熱する

人気の冷凍食品を家庭の味で

焼きギョーザ

参考レシピ

＊材料（4人分）

- 豚ひき肉…150g
- ギョーザの皮…24枚
- 白菜…250g
- 長ねぎ…1/2本
- ニラ…4～5本
- しょうが…1かけ
- A
  - しょうゆ…大さじ1/2
  - こしょう…少量
  - ごま油…小さじ1/2
- 塩…小さじ2/3
- サラダ油…少量
- ごま油…少量
- B しょうゆ、酢、ラー油…各適量
- パセリ…少量

＊作り方

1. しょうがはみじん切りにする。
2. 白菜は粗みじん切りにして塩をふり、5～6分おいてから水気を絞る。長ねぎは粗みじん切り、ニラは小口切りにする。
3. ボウルに豚ひき肉、Ⓐ、①を加え混ぜ、②をさっと混ぜる。
4. ③の1/24量をギョーザの皮にのせ、縁に水をつけ、ひだを寄せて包む。
5. フライパンを熱して薄くサラダ油をひき、④を半量並べ入れる。水1/4カップを注いで蓋をし、蒸し焼きにする。
6. 水分がなくなり、ほどよい焦げ目がついたら、ごま油を全体にかける。残りも同様に焼く。
7. 皿に盛りつけてパセリを飾り、Ⓑを合わせたタレを添える。

ギョーザがまさかのイタリアンに
ギョーザ入りミネストローネ

アレンジレシピ 1

材料（2人分）

冷凍 ギョーザ（焼いた後）
　　　…6個（参考レシピの1/4量）
玉ねぎ…1/4個
にんじん…1/4個
じゃがいも…1個
A ┌ 洋風スープの素（固形）…1/2個
　├ 水…2カップ
　└ トマトケチャップ…大さじ4
塩、こしょう…各少量
オリーブオイル…小さじ2

作り方

① 玉ねぎ、にんじん、じゃがいもは1cm角に切る。
② フライパンにオリーブオイルを熱し、①を炒め、Ⓐを加えて煮る。にんじんがやわらかくなったら、冷凍ギョーザを加えてさっと煮る。
③ ギョーザが温まったら、キッチンバサミで半分に切り、塩、こしょうで味をととのえる。

カリッ、シャキッ、トロリの食感コラボ
揚げギョーザのもやしあんかけ

アレンジレシピ 2

材料（2人分）

冷凍 ギョーザ（焼く前）
　　　…12個（参考レシピの1/2量）
もやし…1/2袋
A ┌ 水…1/2カップ
　├ 鶏ガラスープの素…少量
　├ 酒…大さじ1
　├ しょうゆ…大さじ1/2
　├ 砂糖…小さじ1
　└ 塩、こしょう…各少量
赤唐辛子（輪切り）…1/2本分
B ┌ 水…小さじ4
　└ 片栗粉…小さじ2
サラダ油…小さじ1
揚げ油…適量
ごま油…少量

作り方

① もやしは根を除く。
② フライパンで少なめの揚げ油を170度に熱して冷凍ギョーザをカラリと揚げ、皿に盛りつける。
③ フライパンにサラダ油を熱して①を炒め、Ⓐを加えて沸騰したらⒷの水溶き片栗粉でとろみをつける。ごま油を回し入れ、②にかける。

野菜炒めの具が違っても同じ冷凍・解凍方法でOK

冷凍方法
1食分ずつラップに包み、冷凍保存袋に入れる

解凍加熱方法
電子レンジで解凍加熱する

Part 4 料理別 冷凍ガイド

定番の主菜＋アレンジレシピ

野菜がたっぷりとれるスピードメニュー
肉野菜炒め

参考レシピ

＊材料（4人分）

豚こま切れ肉…160g
玉ねぎ…1/2個
にんじん…1/2本
キャベツ…3枚
ピーマン…2個
A ┌ 酒…大さじ1
　├ 塩、こしょう、鶏ガラスープの素
　└ 　　　　　　　　　…各少量
塩、こしょう…各少量
サラダ油…大さじ1

＊作り方

① 豚こま切れ肉は食べやすく切り、軽く塩、こしょうする。
② 玉ねぎは1cm厚さのくし形、にんじんは半月切りにする。
③ キャベツはざく切りにする。ピーマンは縦半分に切り、1cm幅の斜め切りにする。
④ Aを合わせる。フライパンにサラダ油を熱し、①を炒める。肉の色が変わったら、②を順に加えて炒め、野菜がしんなりしたら、さらに③を加えて炒め合わせ、Aで味を付ける。

142

アレンジレシピ 1

ふわふわのかわいいお好み焼き風
野菜炒めのとろろ焼き

材料（2人分）

冷凍 肉野菜炒め
　　　…約120g（参考レシピの1/4量）
大和いも…130g
黒いりごま…大さじ1
サラダ油…適量
コチュジャン…少量

A［ 小麦粉…大さじ3
　　水…大さじ3
　　卵…1個
　　塩、こしょう…各少量 ］

作り方

① 冷凍肉野菜炒めは電子レンジで半解凍し、1cm角に刻む。
② 大和いもはすりおろし、Aを加え混ぜ、さらに①と黒いりごまを加えて混ぜる。
③ フライパンに多めのサラダ油を熱し、②を6cm大に流し入れ、固まったら裏返し、揚げ焼きにする。
④ 皿に盛りつけ、コチュジャンを塗る。

アレンジレシピ 2

包丁を使わずに野菜たっぷりスープが完成
豆乳スープ

材料（2人分）

冷凍 肉野菜炒め
　　　…約120g（参考レシピの1/4量）
豆乳…1/2カップ

A［ 鶏ガラスープの素…小さじ1/2
　　水…1と1/2カップ
　　酒…大さじ1 ］

塩、こしょう…各少量

作り方

① 鍋にAを沸騰させ、冷凍肉野菜炒めを入れて煮る。具が温まったら豆乳を加え、塩、こしょうで味をととのえる。

Part 4 料理別 冷凍ガイド

定番の主菜＋アレンジレシピ

> 他のカレーやシチューなども同じ冷凍・解凍方法でOK

冷凍方法

じゃがいもとそれ以外の具材に分けて冷凍保存袋に入れる。じゃがいもはマッシュする

解凍加熱方法

電子レンジで解凍加熱する

じゃがいもを別に冷凍してアレンジを

ビーフカレー

参考レシピ

＊材料（4人分）

牛カレー用肉…300g
玉ねぎ…1個
にんじん…1本
じゃがいも…3個
カレールー（市販品）…1箱（100g）
塩、こしょう、小麦粉…各少量
サラダ油…大さじ1と1/2
ごはん…4皿分
らっきょう、福神漬け（好みで）…適量

＊作り方

① 牛カレー用肉は塩、こしょうし、小麦粉をまぶす。
② 玉ねぎはくし形に切り、にんじん、じゃがいもは乱切りにする。
③ 鍋にサラダ油大さじ1を熱し、①を焼きつけて一度取り出す。
④ ③の鍋にサラダ油大さじ1/2を足し、②を炒める。パッケージの表記通りに水（分量外）を加えて③の牛肉を戻し入れ、沸騰したらアクを取り、15〜20分煮る。
⑤ 一度火を止めてカレールーを加え、5〜10分煮る。
⑥ ごはんを皿に盛り、⑤をかける。好みでらっきょう、福神漬けを添える。

マッシュしたじゃがいもでなめらかに
ポテトカレースープ

アレンジレシピ 1

材料（2人分）

冷凍 ビーフカレーのじゃがいも（マッシュ）
　　　　…約120g
カマンベールチーズ…1/2個
生クリーム…1/4カップ
A ┌ 洋風スープの素（固形）…1/2個
　├ 水…1と1/2カップ
　└ カレー粉…小さじ2
塩、こしょう…各少量
パセリ…少量

作り方

❶カマンベールチーズは8等分のくし形に切る。
❷鍋にAを沸騰させ、冷凍ビーフカレーのじゃがいもを加えて煮る。なめらかになったら、生クリームを加え、塩、こしょうで味をととのえる。
❸器に盛りつけ、❶を加え、みじん切りにしたパセリをちらす。

カレー風味の和風おかず
厚揚げのカレーあんかけ

アレンジレシピ 2

材料（2人分）

冷凍 肉ビーフカレー（じゃがいも抜き）
　　　　…約110g
厚揚げ…1枚
水…1/2カップ
めんつゆ（2倍濃縮）…大さじ1
A ┌ 水…小さじ2
　└ 片栗粉…小さじ1
万能ねぎ…5～6本

作り方

❶厚揚げは焼き網かグリルでこんがり焼き、食べやすい大きさに切って皿に盛る。
❷フライパンに水と冷凍ビーフカレーを入れて煮る。具材が温まったら、めんつゆを加え、Aの水溶き片栗粉でとろみをつける。❶にかけ、小口切りにした万能ねぎをのせる。

Part 4 料理別 冷凍ガイド

定番の主菜＋アレンジレシピ

冷凍方法

煮る前
1つずつラップに包み、冷凍保存袋に入れる

煮た後
汁ごと冷凍保存容器に入れる

解凍加熱方法

煮る前
凍ったまま鍋で煮る

煮た後
電子レンジで解凍加熱する

時間のある日にたくさん作って冷凍したい

ロールキャベツ

参考レシピ

＊材料（4人分）

- 合びき肉…400g
- 卵…1個
- キャベツ…8枚
- 玉ねぎ…1/4個
- にんにく…1かけ
- パン粉、牛乳…各大さじ3
- 小麦粉…少量

A
- 水…3カップ
- 洋風スープの素…1個
- トマトケチャップ…大さじ4
- ローリエ…1枚

- 塩…小さじ1/2
- こしょう、ナツメグ…各少量
- 塩、こしょう…各少量

＊作り方

① 玉ねぎ、にんにくはみじん切りにする。パン粉は牛乳にひたしておく。
② ボウルに合びき肉、①、卵、塩小さじ1/2、こしょう、ナツメグを加えてよく混ぜ、8等分にしてまとめる。
③ キャベツは玉から丁寧にはがし、色よくゆでて、芯を包丁でそいで広げる。小麦粉をふり、②をのせて巻く。
④ 鍋にAを沸騰させて③を並べ入れ、落し蓋をして15〜18分煮る。塩、こしょうで味をととのえる。

斬新アレンジでみんなビックリ
焼き鶏風串焼き

アレンジレシピ 1

材料（2人分）

冷凍 ロールキャベツ（煮た後）
　　　…2個（参考レシピの1/4量）
小麦粉…少量
A ┌ しょうゆ…大さじ1
　├ 酒…大さじ1
　├ みりん…大さじ1
　└ 砂糖…大さじ1/2
サラダ油…小さじ2

作り方

①冷凍ロールキャベツは電子レンジで半解凍し、4等分の輪切りにする。4切れずつ鉄串に刺し、小麦粉をまぶす。
②フライパンにサラダ油を熱し、①を並べ入れて両面を焼きつけ、Aを加えからめる。

ロールキャベツとみそ汁は意外に相性good
ボリュームみそ汁

アレンジレシピ 2

材料（2人分）

冷凍 ロールキャベツ（煮た後）
　　　…2個（参考レシピの1/4量）
だし汁…2カップ
みそ…大さじ1と1/2
長ねぎ…5cm

作り方

①冷凍ロールキャベツは電子レンジで半解凍し、4等分の輪切りにする。
②鍋にだし汁を沸騰させ、みそを溶き入れ、①を加えて煮る。具が温まったら、長ねぎの小口切りを加える。

Part 4 料理別 冷凍ガイド

定番の主菜＋アレンジレシピ

> 他の焼き魚も同じ冷凍・解凍方法でOK

冷凍方法
1切れずつラップに包み、冷凍保存袋に入れる

解凍加熱方法
電子レンジで解凍加熱する

お弁当の場合
お弁当箱には凍ったまま詰めてOK

朝食やお弁当以外にも使いやすい魚

焼き鮭

参考レシピ

* 材料（4人分）

塩鮭…4切れ
大根おろし…1/2カップ
すだち…1個
しょうゆ…少量

* 作り方

① 塩鮭はグリルか焼き網で両面をこんがり焼き、皿に盛りつける。
① 大根おろしを添えてしょうゆをかけ、くし形に切ったすだちを飾る。

サーモンピンクがきゅうりの緑に映える
鮭ときゅうりの三杯酢

アレンジレシピ 1

材料（2人分）

冷凍 焼き鮭
　　…1/2切れ分（参考レシピの1/8量）
きゅうり…1本
しょうが…1/2かけ
A ┌ 酢…大さじ1
　├ 水…大さじ1/2
　├ 砂糖…大さじ1
　└ 塩…少量
塩…少量

作り方

❶冷凍焼き鮭は電子レンジで半解凍し、骨と皮を取り除き、ほぐす。
❷きゅうりは輪切り、しょうがはせん切りにし、塩もみする。しんなりしたら水気を絞る。
❸Ⓐを合わせ、①、②をあえる。

焼き鮭が主役の炒め物
鮭のチャンプルー

アレンジレシピ 2

材料（2人分）

冷凍 焼き鮭
　　…1切れ分（参考レシピの1/4量）
木綿豆腐…1丁
ゴーヤ…1/2本
もやし…1/2袋
A ┌ 塩、こしょう、かつおだしの素…各少量
　└ しょうゆ…小さじ1
ごま油…小さじ2

作り方

❶冷凍焼き鮭は電子レンジで解凍し、骨と皮を取り除き、手で大きめに割る。
❷木綿豆腐はペーパータオルに包み、重石をして水切りする。
❸ゴーヤは縦半分に切ってワタと種を除き、5㎜幅に切る。もやしは根を除く。
❹フライパンにごま油を熱し、③を炒め、①、②を加えて炒め合わせ、Ⓐで味を付ける。

Part 4 料理別 冷凍ガイド

定番の主菜＋アレンジレシピ

他の煮魚も同じ冷凍・解凍方法で OK

冷凍方法
汁ごと冷凍保存容器に入れる

解凍加熱方法
電子レンジで解凍加熱する

脂ののったさばと赤みそがベストマッチ

さばのみそ煮

参考レシピ

＊材料（4人分）

さば（2枚おろし）…大2枚（大1尾分）
ごぼう…1本
しょうが…1かけ
A ┌ 水…1カップ
　 │ 酒…1カップ
　 │ みそ…大さじ3
　 │ みりん…大さじ2
　 └ 砂糖…大さじ2

＊作り方

1. さばは半身を半分にそぎ切りにする。ごぼうは6㎝長さに切り、2～4つ割りにする。
2. しょうがは薄切りにする。
3. 鍋にAを合わせ、2を加えて沸騰させ、1を並べ入れる。
4. 落とし蓋をして、途中煮汁を回しかけながら8～10分煮る。

衣に加えたナッツがアクセントに
さばカツ

アレンジレシピ 1

材料（2人分）

冷凍 さばのみそ煮
　　　…2切れ（参考レシピの1/2量）

小麦粉…大さじ2〜3
卵…1/2個
パン粉…1カップ
ナッツ（細かくくだく）…大さじ2
揚げ油…適量
レタス…2〜3枚
トマト…1/2個

作り方

❶冷凍さばのみそ煮は電子レンジで解凍し、よく汁気をきって骨を取り除く。
❷❶に小麦粉、溶いた卵、ナッツを加えたパン粉を順にまぶす。フライパンに少なめの揚げ油を熱し、カラリと揚げる。
❸皿に盛りつけ、せん切りのレタス、食べやすく切ったトマトを添える。

みそのコクとマヨのまろやかさがよく合う
さばマヨグラタン

アレンジレシピ 2

材料（2人分）

冷凍 さばのみそ煮
　　　…2切れ（参考レシピの1/2量）

玉ねぎ…1/2個
赤ピーマン…1個
マヨネーズ…適量
パン粉…少量

作り方

❶冷凍さばのみそ煮は電子レンジで解凍し、骨を取り除く。
❷玉ねぎは薄切り、赤ピーマンはせん切りにする。
❸耐熱皿に❷を敷き、その上に❶を並べてマヨネーズをかける。パン粉をふって、オーブントースターでこんがり焼く。

Part 4 料理別 冷凍ガイド

定番の副菜＋アレンジレシピ

冷凍方法
１食分ずつラップに包み、冷凍保存袋に入れる

解凍方法
電子レンジで解凍する

お弁当の場合
カップに小分けにして金属バットの上に並べ、ラップをかけて冷凍。凍ったら冷凍保存袋に移す。お弁当箱には凍ったまま詰めてOK

大鍋でたくさん作ってアレンジしたい

ひじきの煮物

参考レシピ

＊材料（４人分）

生ひじき…300g（乾燥ひじきの場合75g）
油揚げ…1枚
にんじん…1/2本
A ┌ だし汁…1/2カップ
　├ しょうゆ…大さじ2と1/2
　├ 砂糖…大さじ2
　└ 酒…大さじ1
ごま油…大さじ1

＊作り方

❶生ひじき（乾燥ひじきの場合は水につけて戻す）はさっと洗い、ザルにあげて水気をきる。
❷にんじんはせん切りにする。油揚げは熱湯をかけて油抜きし、細めの短冊切りにする。
❸フライパンにごま油を熱し、にんじん、❶を順に加えて炒め、Ⓐを加える。さらに油揚げを加え、水気がなくなるまで炒め煮にする。

152

意外に簡単なのでチャレンジしてみて
がんもどき

アレンジレシピ 1

材料（2人分）

冷凍 ひじきの煮物
　　　…約25g（参考レシピの1/20量）
木綿豆腐…1丁
さやえんどう…8枚
片栗粉…適量
揚げ油…適量
青じそ…1枚
大根おろし、おろししょうが…各適量

作り方

① 木綿豆腐はペーパータオルに包み、重石をして水切りをする。
② 冷凍ひじきの煮物は電子レンジで解凍する。
③ さやえんどうは筋を除いてゆで、斜めせん切りにする。
④ ①に、②、③、片栗粉大さじ2を加えてよく混ぜ、平丸形に成形する。片栗粉適量をまぶして、180度の揚げ油でカラリと揚げる。
⑤ 皿に盛りつけ、青じそと大根おろし、おろししょうがを添える。

市販の味付き油揚げを使えばとっても簡単
ひじきいなり

アレンジレシピ 2

材料（2人分）

冷凍 ひじきの煮物
　　　…約50g（参考レシピの1/10量）
炊きたてのごはん…茶わん2杯分
味付油揚げ（市販品）…6枚
すし酢（市販品）…大さじ2
甘酢しょうが…適量

作り方

① 冷凍ひじきの煮物は電子レンジで解凍する。
② 炊きたてのごはんにすし酢を混ぜ、さらに①を加えて混ぜる。
③ ②を6等分し、味付き油揚げに詰める。
④ 皿に盛りつけ、甘酢しょうがを添える。

Part 4 料理別 冷凍ガイド

定番の副菜＋アレンジレシピ

> れんこんのきんぴらなども同じ冷凍・解凍方法でOK

冷凍方法
1食分ずつラップに包み、冷凍保存袋に入れる

解凍方法
電子レンジで解凍する

お弁当の場合
カップに小分けにして金属バットの上に並べ、ラップをかけて冷凍。凍ったら冷凍保存袋に移す。お弁当箱には凍ったまま詰めてOK

食物繊維たっぷりのヘルシーな1品

きんぴらごぼう

参考レシピ

＊材料（4人分）

ごぼう…30cm×2〜3本（150g）
にんじん…1/2本
A ┌ しょうゆ…大さじ2
　├ みりん…大さじ2
　└ 砂糖…大さじ1
ごま油…大さじ1
七味唐辛子（好みで）…少量

＊作り方

❶ごぼうはささがきにし、水にさらす。
❷にんじんはごぼうと同じくらいの太さに切り、ささがきにする。
❸フライパンにごま油を熱し、①、②を順に加え炒め、Aを加える。汁気を飛ばすように炒める。
❹皿に盛りつけ、好みで七味唐辛子をふる。

豚肉をプラスしたら立派なメインに
きんぴら肉巻き

アレンジレシピ 1

材料（2人分）

冷凍 きんぴらごぼう
　…約110g（参考レシピの1/2量）
豚ロース薄切り肉…8枚
塩、こしょう、小麦粉…各少量
サラダ油…小さじ2
サラダ菜…適量

作り方

① 冷凍きんぴらごぼうは電子レンジで解凍する。
② 豚ロース薄切り肉は広げて、塩、こしょうし、小麦粉をふり、8等分した①をのせて巻く。
③ フライパンにサラダ油を熱し、②を閉じ目を下にして並べ入れ、転がしながら全体に焼き色をつける。
④ 皿に盛りつけ、サラダ菜を添える。

お酒のつまみにもぴったり
きんぴらつくね

アレンジレシピ 2

材料（2人分）

冷凍 きんぴらごぼう
　…約55g（参考レシピの1/4量）
鶏ひき肉…200g　　　片栗粉…大さじ1
A ┌ みそ…小さじ1　　塩、こしょう
　│ 溶き卵…大さじ1　　…各少量
　│ ねぎみじん切り　　サラダ油…小さじ2
　│ 　…10cm分　　　青のり…少量
　└ しょうがみじん切り
　　　…1/2かけ分

作り方

① 冷凍きんぴらごぼうは電子レンジで解凍する。
② 鶏ひき肉にAを加え混ぜ、さらに①を混ぜる。2等分にし、平な竹串（なければ割りばしなど）にはりつけ、平たい棒状に成形する。
③ フライパンにサラダ油を熱し、②を並べ入れ、両面をこんがり焼きつける。
④ 皿に盛りつけ、青のりをふる。

Part 4 料理別 冷凍ガイド

定番の副菜＋アレンジレシピ

> 他の野菜のごまあえやおひたしも同じ冷凍・解凍方法で OK

冷凍方法
1食分ずつラップに包み、冷凍保存袋に入れる

解凍方法
電子レンジで解凍する

お弁当の場合
カップに小分けにして金属バットの上に並べ、ラップをかけて冷凍。凍ったら冷凍保存袋に移す。お弁当箱には凍ったまま詰めて OK

あと1品ほしいときのお助け小鉢

ほうれんそうのごまあえ

参考レシピ

＊材料（4人分）

ほうれんそう…1束（200g）
A ┌ しょうゆ…大さじ1と1/2
　├ 砂糖…大さじ1
　└ 白すりごま…大さじ2

＊作り方

① ほうれんそうは色よくゆでて絞り、4～5㎝長さに切る。
② Aを合わせ、①をあえる。

ほうれんそう入りで栄養バランスもアップ
ポパイの卵焼き

アレンジレシピ 1

材料（2人分）
冷凍 ほうれんそうのごまあえ
　　　　…約50g（参考レシピの1/4量）
卵…3個　　　　　　サラダ油…少量
A ┌ 砂糖…大さじ2　　大根おろし…適量
　├ 塩…少量　　　　しょうゆ…少量
　├ 長ねぎ（みじん切り）
　└ 　　…10cm分

作り方
❶ 冷凍ほうれんそうのごまあえは電子レンジで解凍し、細かく刻む。
❷ 卵は溶きほぐしてAを混ぜ、さらに❶を加え混ぜる。サラダ油を薄くひいた卵焼き器に、1/3量を流し入れ、奥側から手前に向けて巻く。手前まで巻いたら奥側に移動させ、残りの卵液を2回に分けて、同様に巻きながら焼く。
❸ 食べやすく切り分けて皿に盛りつけ、大根おろしを添え、しょうゆをかける。

ほんのりごまマヨ風味でやさしい味
マカロニサラダ

アレンジレシピ 2

材料（2人分）
冷凍 ほうれんそうのごまあえ
　　　　…約50g（参考レシピの1/4量）
マカロニ（リボン・乾燥）…50g
玉ねぎ…1/4個
水煮ヤングコーン…4本
A ┌ マヨネーズ…大さじ2
　└ 塩、こしょう…各少量

作り方
❶ 冷凍ほうれんそうのごまあえは電子レンジで解凍し、細かく刻む。
❷ 鍋にたっぷりの湯を沸かして塩（分量外）を加え、マカロニ（リボン）をパッケージの表示時間通りにゆでる。
❸ 玉ねぎはみじん切り、水煮ヤングコーンは輪切りにする。
❹ ❷にAを混ぜ、さらに、❸、❶を加えてあえる。

Part 4 料理別 冷凍ガイド

定番の副菜＋アレンジレシピ

里いもの煮物なども同じ冷凍・解凍方法でOK

冷凍方法
1食分ずつ冷凍保存袋に入れる

解凍加熱方法
電子レンジで解凍加熱する

お弁当の場合
食べやすく切り、カップに小分けにして金属バットの上に並べ、ラップをかけて冷凍。凍ったら冷凍保存袋に移す。お弁当箱には凍ったまま詰めてOK

素朴な甘さでココロも和む
かぼちゃの煮物

参考レシピ

＊材料（4人分）

かぼちゃ…1/4個（種つき440g）
だし汁…2カップ
A ┌ 砂糖…大さじ1と1/2
　├ しょうゆ…大さじ1/2
　└ 塩…小さじ1/4

＊作り方

❶かぼちゃはワタと種を取り、3cm大に切って、面取りする。
❷鍋にだし汁を入れ、①を加えて火にかけ、Ⓐを加える。落とし蓋をし、水分がなくなるまで煮詰める。

かぼちゃのホクホク感とマヨネーズが◎
かぼタマサラダ

アレンジレシピ 1

材料（2人分）
冷凍 かぼちゃの煮物
　　　…約200g（参考レシピの1/2量）
卵…2個
A［ マヨネーズ…大さじ2
　　 塩、こしょう…各少量 ］

作り方
❶冷凍かぼちゃの煮物は電子レンジで解凍し、8mm厚さに切る。
❷卵は固ゆでにして殻をむき、みじん切りにする。Aを加え混ぜ、さらに❶を加えてあえる。

おやつで野菜もとれるヘルシースイーツ
かぼちゃホットケーキ

アレンジレシピ 2

材料（2人分）
冷凍 かぼちゃの煮物
　　　…約200g（参考レシピの1/2量）
ホットケーキミックス…100g
卵…1個
牛乳…1/2カップ
サラダ油…適量
バター…大さじ2
メープルシロップ…適量

作り方
❶冷凍かぼちゃの煮物は電子レンジで解凍し、つぶす。
❷ホットケーキミックスは卵、牛乳を加えてよく混ぜ、さらに❶を加えて混ぜる。
❸フライパンにサラダ油を薄くひいて熱し、一度ぬれたふきんの上に置いて冷ます。❷を8〜9cm大に流し入れ、両面をきつね色に焼く。
❹皿に盛りつけ、小さく切ったバターをちらし、メープルシロップをかける。

冷凍方法
冷凍保存袋に入れ、箸を使って、使いやすい大きさに筋をつける（使うときは筋に沿って折る）

解凍方法
電子レンジで解凍する

Part 4 料理別 冷凍ガイド

定番の副菜＋アレンジレシピ

冷凍・解凍後は風味が少し変わるのでアレンジして

ポテトサラダ

参考レシピ

＊材料（4人分）

じゃがいも…3〜4個
ハム…2枚
玉ねぎ…1/4個
にんじん…1/3本
いんげん…4本
A ┌ マヨネーズ…大さじ4
　└ 塩、こしょう…各少量
酢…小さじ2

＊作り方

❶玉ねぎはみじん切りにする。
❷じゃがいもは皮ごとラップに包み、電子レンジで9〜12分加熱する。熱いうちに皮をむいてつぶし、❶、酢を混ぜておく。
❸にんじんはいちょう切りにしてゆでる。いんげんは色よくゆで、2㎝長さに切る。ハムは1㎝角に切る。
❹❷にAを加え混ぜ、さらに❸を加えてあえる。

160

マヨネーズ＆ケチャップ味の洋風春巻き
ポテト春巻き

アレンジレシピ 1

材料（2人分）
冷凍 ポテトサラダ
　　　　…約230g（参考レシピの1/2量）
春巻きの皮…6枚
A［水…大さじ1/2
　　小麦粉…小さじ2］
トマトケチャップ…大さじ2
揚げ油…適量

作り方
❶冷凍ポテトサラダは電子レンジで解凍し、トマトケチャップを混ぜる。
❷❶を6等分にし、春巻きの皮にのせて巻き、巻き終わりをAの水溶き小麦粉で留める。
❸揚げ油を180度に熱し、❷をカラリと揚げる。

耐熱皿で作るお手軽バージョン
皮なしキッシュ

アレンジレシピ 2

材料（2人分）
冷凍 ポテトサラダ
　　　　…約150g（参考レシピの1/3量）
ベーコン…2枚
ほうれんそう…3株（80g）
ピザ用チーズ…50g
A［卵…2個
　　牛乳…1/3カップ］
生クリーム…大さじ2
塩、こしょう、ナツメグ…各少量
バター…小さじ2
塩、こしょう…各少量

作り方
❶冷凍ポテトサラダは電子レンジで解凍する。
❷ベーコンは1cm幅に切り、ほうれんそうはざく切りにする。フライパンにバターを熱し、ベーコンとほうれんそうを炒めて軽く塩、こしょうする。
❸Aを合わせ、❶を加えて混ぜ、耐熱皿に移す。さらに❷、ピザ用チーズを加え、オーブントースターで約10〜12分こんがりと焼く。途中で焦げるようならアルミホイルをかぶせる。

Part 4 料理別 冷凍ガイド

ソース＋アレンジレシピ

冷凍方法

使いやすい量で冷凍保存袋か冷凍保存容器に入れる

解凍加熱方法

電子レンジで解凍加熱するか、凍ったまま調理する

パスタやソテー、煮込みなどに幅広く使える
トマトソース

参考レシピ

*材料（約4カップ分）

玉ねぎ…1/2個
セロリ…1/3本
にんにく…2かけ
ホールトマト（缶詰）…2缶
Ⓐ ┌ 洋風スープの素（くだく）…2個
　 │ ローリエ…1枚
　 └ タイム…少量
塩、こしょう…各少量
砂糖…少量
オリーブオイル…大さじ2

*作り方

❶玉ねぎ、セロリはみじん切りにし、にんにくは包丁の背でたたいてつぶす。
❷鍋にオリーブオイルを熱し、にんにくを炒め、香りがたったら、玉ねぎ、セロリを加えて少し色づくまで炒める。
❸ホールトマトを加えて木べらでつぶし、Ⓐを加える。フツフツと煮立つ程度の火加減で約10分煮る。
❹とろりとしてきたら、塩、こしょうで味をととのえる。酸味が強いようなら砂糖を足す。

家族が好きな具をたくさん入れて
トマト鍋

アレンジレシピ 1

材料（2人分）

冷凍 トマトソース
…約280g（1と1/2カップ分・参考レシピの3/8量）

ウインナーソーセージ…4本
殻付きあさり…1パック（230g）
キャベツ…1/4個
玉ねぎ…1個
かぶ…1個
ピーマン…2個

A
- だし汁…2カップ
- 酒…大さじ2
- しょうゆ…大さじ1と1/2
- みりん…大さじ1

作り方

❶ 殻付きあさりは塩水につけて砂抜きする。ウインナーソーセージは格子の切り込みを入れる。
❷ キャベツは1/4個を半分のくし形に切り、玉ねぎは6等分のくし形に切る。かぶは茎を2cm残して切り、4等分のくし形に切る。ピーマンは輪切りにする。
❸ 土鍋にⒶを沸騰させ、冷凍トマトソースを入れて溶かす。
❹ ❸が沸騰したら、❶、❷を加えて煮る。

ラタトゥイユ風の簡単煮込み
なすのトマト煮

アレンジレシピ 2

材料（2人分）

冷凍 トマトソース
…約280g（1と1/2カップ分・参考レシピの3/8量）
なす…3本
グリーンアスパラガス…2本
サラダ油…適量

作り方

❶ 冷凍トマトソースは電子レンジで解凍する。
❷ なすは乱切り、グリーンアスパラガスは斜め切りにし、フライパンに多めのサラダ油を熱し、素揚げにする。
❸ フライパンをあけて、❶を沸騰させ、❷を加えてさっと煮る。

Part 4 料理別 冷凍ガイド

ソース＋アレンジレシピ

冷凍方法
使いやすい量で冷凍保存袋か冷凍保存容器に入れる

解凍加熱方法
電子レンジで解凍加熱するか、凍ったまま調理する

クリーミーな舌触りに仕上げて
ホワイトソース

参考レシピ

＊材料（約2と1/2カップ分）

バター…大さじ6
小麦粉…大さじ6
牛乳…3カップ
塩…小さじ1/2
こしょう…少量

＊作り方

❶フライパンにバターを熱し、小麦粉をふり入れ、焦がさないように炒める。
❷❶に牛乳を加え、木べらで混ぜながら加熱する。とろみがついたら、塩、こしょうで味をととのえる。

164

カレー×ドリアの人気メニューコラボ
カレードリア

アレンジレシピ 1

材料（2人分）

冷凍 ホワイトソース
…約220g（1カップ分・参考レシピの2/5量）

玉ねぎ…1/4個
むきえび…100g
ごはん…茶わん2〜3杯
ピザ用チーズ…60g
牛乳…少量

A ┌ カレー粉…小さじ1
　└ 塩、こしょう…各少量
バター…大さじ1
パン粉、バター…各少量

作り方

❶冷凍ホワイトソースは電子レンジで半解凍し、フライパンに移して温める。かたいようなら、牛乳を少量加えてのばす。
❷玉ねぎはみじん切りにし、むきえびは背ワタを取り除く。
❸フライパンにバター大さじ1を熱し、❷を炒め、ごはんを加えて炒め合わせる。Aで味付けをし、耐熱皿に移す。
❹❸に❶、ピザ用チーズ、パン粉、バターを順にのせ、オーブントースターでこんがりと焼く。

仕上げに加えるごま油がポイント
白菜のクリーム煮

アレンジレシピ 2

材料（2人分）

冷凍 ホワイトソース
…約220g（1カップ分・参考レシピの2/5量）

鶏モモ肉…1/2枚
にんじん…1/4本
白菜…2〜3枚（約200g）

A ┌ 鶏ガラスープの素
　│ 　　　…小さじ1/2
　│ 水…1/2カップ
　└ 酒…大さじ1
塩、こしょう…各少量
サラダ油…小さじ2
ごま油…少量

作り方

❶冷凍ホワイトソースは電子レンジで解凍する。
❷鶏モモ肉は2〜3cm大に切り、塩、こしょうする。にんじんは短冊切り、白菜はざく切りにする。
❸フライパンにサラダ油を熱し、鶏肉を炒める。にんじんと白菜を加えて炒め、Aを加える。白菜がしんなりしたら❶を加えて溶きのばし、塩、こしょうで味をととのえ、ごま油を回し入れる。

冷凍方法
電子レンジで解凍加熱するか、凍ったまま調理する

解凍加熱方法
電子レンジで解凍加熱するか、調理の過程で加熱する

Part 4 料理別 冷凍ガイド

ソース＋アレンジレシピ

パスタに使うだけじゃもったいない

ミートソース

参考レシピ

＊材料（約3カップ分）

合びき肉…250g
玉ねぎ…1個
にんじん…1/2本
にんにく…1かけ
ホールトマト（缶詰）…1缶
Ⓐ ┌ トマトペースト…大さじ3
　├ 洋風スープの素（くだく）…1個
　├ ローリエ…1枚
　└ ナツメグ…少量
塩…小さじ1
こしょう…各少量
オリーブオイル…大さじ1

＊作り方

❶ 玉ねぎ、にんじん、にんにくはみじん切りにする。
❷ 鍋にオリーブオイルを熱し、にんにくを炒め、香りがたったら、玉ねぎ、にんじんを加えて炒める。しんなりしたら合びき肉を加え、パラパラになるまで炒める。
❸ ホールトマトを加えて木べらでつぶし、Ⓐを加える。約10分煮て、塩、こしょうで味をととのえる。

夜食や休日のブランチにもオススメ
ミートうどん

アレンジレシピ 1

材料（2人分）
冷凍 ミートソース
…約190g（1カップ分・参考レシピの1/3量）
冷凍うどん…2玉
しいたけ…4枚
オリーブオイル…小さじ2
パセリ…少量

作り方
1. しいたけは石づきを除き、4つ割りにする。
2. 冷凍ミートソースは電子レンジで解凍する。
3. フライパンにオリーブオイルを熱し、①を炒め、②を加えて温める。
4. 冷凍うどんはゆでて皿に盛りつけ、③をかけ、みじん切りにしたパセリをふる。

からくないから子どももパクパク
洋風麻婆豆腐

アレンジレシピ 2

材料（2人分）
冷凍 ミートソース
…約190g（1カップ分・参考レシピの1/3量）
木綿豆腐…1丁
A［鶏ガラスープの素…小さじ1/2
　水…1/2カップ
　酒…大さじ1］
B［水…小さじ1/2
　片栗粉…小さじ1/4］
塩、こしょう…各少量
ごま油…少量
万能ねぎ…少量

作り方
1. 木綿豆腐は2cm角に切る。
2. 冷凍ミートソースは電子レンジで解凍する。
3. ②をフライパンに移してAを加え、火にかける。沸騰したら①を加え、塩、こしょうで味をととのえる。Bの水溶き片栗粉でとろみをつけ、ごま油を回し入れる。
4. 皿に盛りつけ、万能ねぎの小口切りを飾る。

「これを冷凍したい！」食材&料理 index

冷凍食材

あ
- 青じそ……………………71
- 青菜………………………55
- あさり……………………50
- あじ………………………43
- アスパラガス……………56
- 厚揚げ……………………75
- 油揚げ……………………74
- 油類………………………88
- アボカド…………………80
- あんこ……………………87
- いか………………………49
- いくら……………………51
- いちご……………………76
- いわし……………………44
- いんげん…………………69
- ウインナーソーセージ……42
- 枝豆………………………70
- えび………………………48
- おから……………………75
- オクラ……………………61
- お茶の葉…………………86
- オレンジ…………………77

か
- かき………………………78
- かぼちゃ…………………60
- かまぼこ…………………52
- カリフラワー……………56
- 缶詰（開封後の桃・みかん缶）……86
- キウイ……………………76
- きのこ類…………………68
- キャベツ…………………53
- 牛厚切り肉………………35
- 牛薄切り肉………………34
- 牛ひき肉…………………36
- きゅうり…………………59
- ギョーザの皮……………29
- 切り干し大根……………73
- 切り身……………………46
- クッキー…………………87
- 栗…………………………82
- グリンピース……………70
- グレープフルーツ………77
- クロワッサン……………27
- ケーキ……………………87
- ごはん……………………26
- コーヒー豆………………86
- ごぼう……………………64
- 小麦粉……………………29
- こんにゃく………………73

さ
- さつま揚げ………………52
- さつまいも………………66
- さば………………………45
- さやえんどう……………69
- 山菜………………………88
- さんま……………………44
- 塩鮭………………………47
- しじみ……………………50
- じゃがいも………………65
- ジャム……………………86
- しょうが…………………72
- 食パン……………………27
- しらたき…………………73
- すいか……………………77
- すだち……………………81
- ズッキーニ………………59
- スパイス…………………85
- セロリ……………………57
- 総菜パン…………………28
- 空豆………………………70

た
- 大根………………………63
- タイム……………………72
- タケノコ…………………67
- たこ………………………50
- だし………………………85
- 卵…………………………83
- 卵（卵黄）………………88
- 玉ねぎ……………………65
- たらこ……………………51
- 炭酸飲料…………………88
- ちくわ……………………52
- チーズ……………………84
- ちりめんじゃこ…………52
- 豆腐………………………74
- とうもろこし……………59
- トマト……………………57
- 鶏手羽先・手羽元………40
- 鶏肉（ムネ・モモ・ササミ）……38
- 鶏ひき肉…………………41

な
- 長いも……………………66
- なし………………………80
- なす………………………58
- ナッツ……………………82
- 納豆………………………75
- 生クリーム………………84
- なめこ……………………69
- ニラ………………………55
- にんじん…………………62
- にんにく…………………70
- ねぎ（長ねぎ・万能ねぎ）……55

168

冷凍料理

主食
炊き込みごはん………… 120
お好み焼き……………… 121
ナポリタン……………… 122
グラタン………………… 123

主菜
筑前煮…………………… 124
肉じゃが………………… 126
すき焼き………………… 128
角煮……………………… 130
照り焼きチキン………… 132
鶏のから揚げ…………… 134
ハンバーグ……………… 136
コロッケ………………… 138
焼きギョーザ…………… 140
肉野菜炒め……………… 142
ビーフカレー…………… 144
ロールキャベツ………… 146
焼き鮭…………………… 148
さばのみそ煮…………… 150

副菜
ひじきの煮物…………… 152
きんぴらごぼう………… 154
ほうれんそうのごまあえ… 156
かぼちゃの煮物………… 158
ポテトサラダ…………… 160

ソース
トマトソース…………… 162
ホワイトソース………… 164
ミートソース…………… 166

メープルシロップ………… 86
メロン……………………… 77
麺（生麺・ゆで麺）………… 28
明太子……………………… 51
もち………………………… 27
もやし……………………… 69

や
大和いも…………………… 66
ゆず………………………… 81
ヨーグルト………………… 83

ら
ラズベリー………………… 82
りんご……………………… 79
レタス……………………… 54
レバー……………………… 42
レモン……………………… 81
れんこん…………………… 67
ローズマリー……………… 72
ロールパン………………… 27

わ
和菓子……………………… 87

は
パイナップル……………… 77
白菜………………………… 54
バジル……………………… 72
パスタ……………………… 29
パセリ……………………… 72
バター……………………… 84
はちみつ…………………… 86
バナナ……………………… 78
パプリカ…………………… 61
はまぐり…………………… 50
ハム………………………… 42
パン粉……………………… 29
ひじき……………………… 73
ピーマン…………………… 61
ビール……………………… 88
豚厚切り肉………………… 32
豚薄切り肉………………… 30
豚こま切れ肉……………… 31
豚ひき肉…………………… 36
豚ブロック肉……………… 33
ぶどう……………………… 80
ブルーベリー……………… 82
ブロッコリー……………… 56
ベーコン…………………… 42
ほたて（貝柱）……………… 51
ホットケーキ……………… 28

ま
マフィン…………………… 27
マヨネーズ………………… 88
みかん……………………… 78
みつば……………………… 71
みょうが…………………… 71
みりん……………………… 88
ミント……………………… 73

食材の冷凍方法早見表

食材を買ってきたら、まずはこのページで冷凍方法をチェック！
食材を手に入れてすぐ、新鮮なうちに冷凍するのがおいしい冷凍保存のコツです。

ごはん・パン・麺類

ギョーザの皮
1食分ずつ包む
➡ 1カ月
P.29

生麺・ゆで麺
1食分ずつ包む
➡ 1カ月
P.28

総菜パン
1つずつ包む
➡ 1カ月
P.28

食パン
1枚ずつ包む
➡ 1カ月
P.27

ごはん
1食分ずつ包む
➡ 1カ月
おにぎりにする
➡ 1カ月
P.26

小麦粉・パン粉
そのまま保存袋に入れる
➡ 1カ月
P.29

パスタ
1食分ずつ包む
➡ 1カ月
P.29

ホットケーキ
1枚ずつ包む
➡ 1カ月
P.28

ロールパン・マフィン・クロワッサン
1つずつ包む
➡ 1カ月
P.27

もち
1つずつ包む
➡ 1カ月
P.27

肉類

鶏肉（ムネ・モモ・ササミ）
1食分ずつ包む
➡ 3〜4週間
塩・こしょうで下味
➡ 3〜4週間
しょうゆで下味
➡ 3〜4週間
ハーブ漬けにする
➡ 3〜4週間
蒸し鶏にする（ムネ・ササミ）
➡ 4〜5週間
P.38

牛・豚ひき肉
1食分ずつ分ける
➡ 3〜4週間
肉そぼろにする
➡ 4〜5週間
肉団子にする
➡ 3〜4週間
肉みそにする
➡ 4〜5週間
P.36

牛薄切り肉
1食分ずつ包む
➡ 3〜4週間
しょうゆで下味
➡ 3〜4週間
P.34

牛厚切り肉
塩・こしょうで下味
➡ 3〜4週間
表面を焼く
➡ 4〜5週間
P.35

豚厚切り肉
塩・こしょうで下味
➡ 3〜4週間
トンカツの衣をつける
➡ 3〜4週間
P.32

豚ブロック肉
使いやすい大きさに切る
➡ 3〜4週間
ゆで豚にする
➡ 4〜5週間
P.33

豚薄切り肉
1食分ずつ包む
➡ 3〜4週間
塩・こしょうで下味
➡ 3〜4週間
しょうゆで下味
➡ 3〜4週間
P.30

豚こま切れ肉
しょうゆで下味
➡ 3〜4週間
P.31

肉類

肉類加工品	レバー	鶏ひき肉	鶏手羽先・手羽元
そのまま保存袋に入れる ➡ 4～5週間	しょうゆで下味 ➡ 3～4週間	1食分ずつ包む ➡ 3～4週間 甘辛そぼろにする ➡ 4～5週間 肉団子にする ➡ 4～5週間	1本ずつ包む ➡ 3～4週間 塩・こしょうで下味 ➡ 3～4週間 しょうゆで下味 ➡ 3～4週間
P.42	P.42	P.41	P.40

魚介類

いくら	あさり・しじみ・はまぐり	えび	さば	あじ
1食分ずつ分ける ➡ 2週間	急速冷凍する ➡ 2週間 酒蒸しにする ➡ 3週間	急速冷凍する ➡ 2週間 殻ごとゆでる ➡ 3週間	しょうゆで下味 ➡ 2週間	1尾ずつ保存袋に入れる ➡ 2週間 3枚におろす ➡ 2週間
P.51	P.50	P.48	P.45	P.43
ちりめんじゃこ	ほたて（貝柱）	いか	切り身	さんま
1食分ずつ包む ➡ 3週間	急速冷凍する ➡ 2週間	急速冷凍する ➡ 2週間 ハーブ漬けにする ➡ 2週間	1切れずつ包む ➡ 2週間 しょうゆで下味 ➡ 2週間	ぶつ切りにする ➡ 2週間
P.52	P.51	P.49	P.46	P.44
かまぼこ	明太子・たらこ	たこ	塩鮭	いわし
1食分ずつ包む ➡ 3週間	1本ずつ包む ➡ 2週間	薄切りにする ➡ 2週間	1切れずつ包む ➡ 2週間 焼きそぼろにする ➡ 3週間	しょうゆで下味 ➡ 2週間 すり身にする ➡ 2週間
P.52	P.51	P.50	P.47	P.44
ちくわ・さつま揚げ				
1つずつ包む ➡ 3週間				
P.52				

野菜

野菜	保存方法	期間	ページ
玉ねぎ	炒める	1カ月	P.65
玉ねぎ	みじん切りにする	3週間	P.65
ピーマン・パプリカ	炒める	1カ月	P.61
なす	焼く	1カ月	P.58
なす	素揚げする	1カ月	P.58
ニラ	1食分ずつ包む	3週間	P.55
キャベツ	ゆでる	1カ月	P.53
キャベツ	炒める	1カ月	P.53
じゃがいも	マッシュにする	1カ月	P.65
オクラ	ゆでる	1カ月	P.61
きゅうり	塩もみする	3週間	P.59
ブロッコリー・カリフラワー	ゆでる	1カ月	P.56
レタス	ゆでる	1カ月	P.54
さつまいも	電子レンジで加熱する	1カ月	P.66
さつまいも	マッシュにする	1カ月	P.66
にんじん	細切りにする	3週間	P.62
にんじん	ゆでる	1カ月	P.62
ズッキーニ	炒める	1カ月	P.59
アスパラガス	ゆでる	1カ月	P.56
白菜	炒める	1カ月	P.54
大和いも・長いも	すりおろす	3週間	P.66
大根	ゆでる	1カ月	P.63
大根	すりおろす	3週間	P.63
とうもろこし	ゆでる	1カ月	P.59
セロリ	炒める	1カ月	P.57
青菜	ゆでる	1カ月	P.55
タケノコ	砂糖をもみ込む	3週間	P.67
ごぼう	ささがきにする	3週間	P.64
ごぼう	ゆでる	1カ月	P.64
かぼちゃ	電子レンジで加熱する	1カ月	P.60
かぼちゃ	マッシュにする	1カ月	P.60
トマト	そのまま保存袋に入れる	3週間	P.57
トマト	ざく切りにする	3週間	P.57
長ねぎ・万能ねぎ	1食分ずつ包む	3週間	P.55

172

野菜

食材	保存方法	期間	ページ
タイム・バジル・ローズマリー	1食分ずつ包む	3週間	P.72
みょうが	1食分ずつ包む	3週間	P.71
にんにく	1食分ずつ包む	3週間	P.70
もやし	ゆでる	1カ月	P.69
れんこん	ゆでる	1カ月	P.67
ミント	氷漬けにする	3週間	P.73
しょうが	1食分ずつ包む	3週間	P.72
みつば	そのまま保存容器に入れる	3週間	P.71
いんげん・さやえんどう	ゆでる	1カ月	P.69
きのこ類	そのまま保存袋に入れる / しょうゆで下味	3週間 / 1カ月	P.68
切り干し大根・ひじき	水で戻す	3週間	P.73
こんにゃく・しらたき	そのまま保存袋に入れる	3週間	P.73
パセリ	そのまま保存袋に入れる	3週間	P.72
青じそ	1枚ずつ包む	3週間	P.71
枝豆・空豆・グリンピース	ゆでる	1カ月	P.70
なめこ	そのまま保存袋に入れる	3週間	P.69

大豆製品

食材	保存方法	期間	ページ
おから	1食分ずつ包む	1カ月	P.75
納豆	そのまま保存袋に入れる	1カ月	P.75
厚揚げ	1枚ずつ包む	2～3週間	P.75
油揚げ	急速冷凍する	1カ月	P.74
豆腐	そのまま保存袋に入れる	2～3週間	P.74

果物

ナッツ
そのまま保存袋に入れる
➡ 1カ月
P.82

レモン
そのまま保存袋に入れる
➡ 2〜3週間
はちみつ漬けにする
➡ 2〜3週間
P.81

りんご
すりおろす
➡ 2〜3週間
甘煮にする
➡ 1カ月
P.79

メロン・すいか
急速冷凍する
➡ 2〜3週間
P.77

いちご
急速冷凍する
➡ 2〜3週間
P.76

すだち・ゆず
そのまま保存袋に入れる
➡ 2〜3週間
P.81

なし
そのまま保存袋に入れる
➡ 2〜3週間
P.80

かき
そのまま保存袋に入れる
➡ 2〜3週間
P.78

キウイ
急速冷凍する
➡ 2〜3週間
P.76

ラズベリー・ブルーベリー
急速冷凍する
➡ 2〜3週間
P.82

アボカド
1食分ずつ包む
➡ 2〜3週間
P.80

みかん
そのまま保存袋に入れる
➡ 2〜3週間
P.78

パイナップル
急速冷凍する
➡ 2〜3週間
P.77

栗
そのまま保存袋に入れる
➡ 1カ月
P.82

ぶどう
急速冷凍する
➡ 2〜3週間
P.80

バナナ
1本ずつ包む
➡ 2〜3週間
P.78

オレンジ・グレープフルーツ
急速冷凍する
➡ 2〜3週間
P.77

卵・乳製品

生クリーム
ホイップして1食分ずつ包む
➡ 1カ月
P.84

バター
1個ずつ包む
➡ 1カ月
P.84

チーズ
1食分ずつ包む
➡ 1カ月
P.84

ヨーグルト
そのまま保存袋に入れる
➡ 1カ月
P.83

卵
卵白のみを包む
➡ 1カ月
薄焼き卵にする
➡ 2週間
P.83

174

調味料・飲料・甘味

和菓子・ケーキ	ジャム・はちみつ・メープルシロップ	お茶の葉・コーヒー豆	スパイス
1つずつ包む ➡ 2週間 P.87	1食分ずつ包む ➡ 1カ月 P.86	そのまま保存袋に入れる ➡ 1カ月 P.86	そのまま保存袋に入れる ➡ スパイスの賞味期限による P.85
クッキー	あんこ	開封後の桃・みかん缶	だし
そのまま保存袋に入れる ➡ 1カ月 P.87	1食分ずつ包む ➡ 1カ月 P.87	冷凍保存容器に入れる ➡ 1カ月 P.86	アイスキューブにする ➡ 2週間 P.85

冷凍NG食材

卵（卵黄）	油類	マヨネーズ
P.88	P.88	P.88
みりん	山菜	ビール・炭酸飲料
P.88	P.88	P.88

著者＊吉田瑞子

料理研究家＆フードコーディネーター。雑誌・テレビなどでも活躍中。おもちゃメーカーの企画の仕事から、料理研究家に転身。おいしくカンタンに作れる、バリエーション豊かな家庭料理に定評がある。著書は『朝つめるだけ！100円以下で作れるお弁当』（ブティック社）、『シリコンスチーマーで作る魔法のレシピ64』（辰巳出版）、『魚のおかずが全部わかる本』（地球丸）など多数。

冷凍保存の教科書ビギナーズ

著　者　吉田瑞子
発行者　富永靖弘
印刷所　慶昌堂印刷株式会社
発行所　東京都台東区台東4丁目7　株式会社　新星出版社
〒100-0016 ☎03(3831)0743 振替00140-1-72233
URL http://www.shin-sei.co.jp/

©Mizuko Yoshida　　　　　　　　　Printed in Japan

ISBN978-4-405-09202-0